TESTS D'ÉVALUATION

VOCABULAIRE PROGRESSIF DU FRANÇAIS

Niveau intermédiaire

Claire **M**iquel

AVANT-PROPOS

• Ce volume de *Tests d'évaluation* s'adresse à des adultes et adolescents de niveau INTERMÉDIAIRE. Il fait suite au *Vocabulaire progressif du français*, dont il constitue un utile complément.

• Chaque page de ce volume correspond en effet à une page de leçon du *Vocabulaire progressif du français*, les chapitres et les thèmes se succédant dans le même ordre. Afin de faciliter le repérage, la référence à l'ouvrage de base est indiquée en haut de chaque page de tests.

• Une page de tests comprend trois à quatre exercices, classés par ordre de difficulté croissante. Ces activités sont de toutes sortes – *exercices à trous, choisissez la bonne réponse, éliminez l'intrus, mots croisés,* etc. – et diffèrent de celles déjà présentées dans le *Vocabulaire progressif du français*. Chaque page est notée sur 20.

• Ce volume peut s'utiliser de diverses manières :
– soit, avant l'apprentissage, pour évaluer les connaissances lexicales de l'élève, et l'orienter vers tel ou tel ouvrage de vocabulaire de la collection,
– soit, après l'apprentissage, pour vérifier la bonne assimilation des notions,
– soit, en cours d'apprentissage, à titre d'exercices complémentaires, destinés à approfondir les notions abordées dans le *Vocabulaire progressif du français*.

• Les **corrigés**, présentés en fin de volume, permettent d'utiliser cet ouvrage aussi bien en classe qu'en auto-apprentissage.

Édition : Pierre Desirat
Illustrations : Eugène Collilieux
Mise en page : CGI
CLE International, 2003
ISBN : 2-09-033792-3

SOMMAIRE

■ Test 1 Associez, pour constituer une phrase complète.

/5

1. Bonjour, madame,	a. à bientôt !
2. Salut, Benoît,	b. s'il te plaît ?
3. Pardon, monsieur,	c. comment allez-vous ?
4. Au revoir, Julie,	d. vous savez où est la poste ?
5. Tu peux me prêter ton stylo,	e. ça va ?

■ Test 2 Vrai ou faux ?

/8

	Vrai	Faux
1. On peut serrer la main pour dire au revoir.	❑	❑
2. Une mère serre la main de son fils pour lui dire bonjour.	❑	❑
3. Il est parfois impoli de tutoyer.	❑	❑
4. Les Français font toujours deux bisous.	❑	❑
5. Embrasser veut dire « faire un baiser » à quelqu'un.	❑	❑
6. Les enfants se tutoient entre eux.	❑	❑
7. Il est impoli de tutoyer un enfant.	❑	❑
8. Une petite fille voit sa maman, et dit : « Enchantée ! »	❑	❑

■ Test 3 Complétez par un verbe approprié.

/5

1. Comment ____________-tu ?
2. Oh, pardon, monsieur, ____________-moi !
3. Vous ____________ m'expliquer comment ça marche ?
4. Je ____________ la main de monsieur Vaneau, mais j'____________ sa fille de 3 ans.

■ Test 4 Quel geste font-ils ?

/2

1. ______________________________ 2. ______________________________

Total: /20

Test 1 Associez, pour constituer une phrase complète.

/6

1. Asseyez-vous,
2. Comment
3. Je vais
4. Je peux
5. Je vous en
6. Je vous

a. prie.
b. téléphoner ?
c. je vous en prie !
d. remercie.
e. allez-vous ?
f. mieux, merci.

Test 2 Choisissez la bonne réponse.

/5

1. Je vous en [prie | vais].
2. Comment [êtes | allez]-vous ?
3. Ça [va | fait] bien ?
4. Je [vais | suis] mal.
5. Je vous [remercie | prie].

Test 3 Que disent-ils ?

/4

1. ______________________
2. ______________________
3. ______________________
– ______________________
4. ______________________
– ______________________

Test 4 Que pouvez-vous dire quand...

/5

1. vous laissez passer quelqu'un ? « ______________________ ».
2. vous proposez à quelqu'un de s'asseoir ? « ______________________ ».
3. vous demandez des nouvelles des enfants de votre voisine ? « ______________________ ».
4. vous demandez rapidement à quelqu'un s'il a compris ? « ______________________ ».
5. vous autorisez quelqu'un à utiliser votre téléphone mobile ? « ______________________ ».

Total: /20

■ Test 1

/6

Choisissez la bonne réponse.

1. Toutes mes [félicitations | vœux] pour votre mariage !
2. [Bonne | Joyeuse] année !
3. Bon [chapeau | courage] !
4. Je suis de tout [souhait | cœur] avec vous !
5. Tous mes [souhaits | vœux] de bonheur !
6. Bonnes [fêtes | félicitations] de fin d'année.

■ Test 2

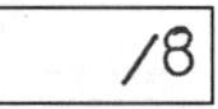

Associez une expression et une situation.

1. Tous mes vœux !	**a.** Vous admirez le travail que Raphaël a fait.
2. Félicitations !	**b.** Un ami vient d'éternuer.
3. À votre succès !	**c.** Vous voyez vos collègues le 3 janvier.
4. Bon courage !	**d.** Vous trinquez au nouveau projet de vos amis.
5. Bonne chance !	**e.** Florence vient de réussir son baccalauréat.
6. Chapeau !	**f.** Joël va passer son baccalauréat.
7. Tous mes vœux de bonheur !	**g.** Thibaut va faire une randonnée difficile.
8. À vos souhaits !	**h.** Grégoire et Blandine vont se marier.

■ Test 3

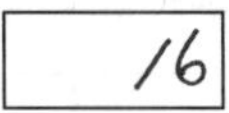

Complétez par l'expression appropriée.

1. C'est l'anniversaire de Quentin, vous lui dites : « ________________ ».
2. C'est le 1er de l'An, vous dites à vos voisins : « ________________ ».
3. Votre ami a éternué, vous dites : « ________________ ».
4. Virginie a réussi un examen, vous lui dites : « ________________ ».
5. Vos amis Bérangère et Éric vont se marier, vous leur dites : « ________________ ».
6. Quelques jours avant Noël, vous dites à vos collègues : « ________________ ».

Total:
/20

Test 1

/5

Ajoutez « le », « la », « l' », « les » ou rien, selon le cas.

1. ____________ Grèce
2. ____________ Danemark
3. ____________ Sénégal
4. ____________ Maroc
5. ____________ Allemagne
6. ____________ États-Unis
7. ____________ Madagascar
8. ____________ Pays-Bas
9. ____________ Espagne
10. ____________ Mexique

Test 2

/5

Complétez par « au », « aux » ou « en », selon le cas.

1. ____________ Brésil
2. ____________ Europe
3. ____________ Grèce
4. ____________ Pays-Bas
5. ____________ Bénin
6. ____________ Argentine
7. ____________ Pologne
8. ____________ Mexique
9. ____________ Alaska
10. ____________ Liban

Test 3

/10

Trouvez le nom du pays qui correspond à ces nationalités.

1. polonais ____________________
2. américain ____________________
3. turc ____________________
4. néerlandais ____________________
5. britannique ____________________
6. ivoirien ____________________
7. grec ____________________
8. allemand ____________________
9. belge ____________________
10. hongrois ____________________

Total:
/20

■ Test 1 Vrai ou faux ?

/6

	Vrai	Faux
1. Les Brésiliens parlent espagnol.	❑	❑
2. Les Irlandais parlent anglais.	❑	❑
3. Les Autrichiens parlent allemand.	❑	❑
4. Les Finlandais parlent danois.	❑	❑
5. Les Suisses parlent suédois.	❑	❑
6. Les Égyptiens parlent arabe.	❑	❑

■ Test 2 Associez.

/8

1. Toulouse
2. Le Finistère
3. Grenoble
4. La Bretagne
5. La Bourgogne
6. Les Pyrénées-Orientales
7. Bordeaux
8. La Dordogne

a. C'est une ville.

b. C'est un département.

c. C'est une région.

■ Test 3 Complétez.

/6

1. Les Irlandais ________________ anglais.
2. Jan est ________________ tchèque, ________________ allemand.
3. Elle parle parfaitement deux langues, elle est ________________.
4. Sa ________________ maternelle est le russe.
5. Il habite ________________ Rouen, mais il travaille ________________ Havre.
6. Ils ont acheté une maison ________________ les Alpes.

Total:
/20

■ Test 1 Choisissez la bonne réponse.

/5

1. Ils sont [réfugiés | immigrés] politiques.
2. Elle n'est pas française, elle est [provinciale | étrangère].
3. Il est [originaire | d'origine] de Slovénie.
4. Ils ont été [nationalisés | naturalisés] français.
5. Elle a la [naturalisation | nationalité] française, maintenant.

■ Test 2 Associez une question et une réponse.

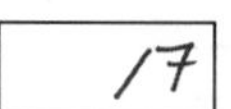

1. Quelle est votre nationalité ?	a. Oui, il est suédois.
2. Vous êtes d'où ?	b. Non, à Paris.
3. Vous êtes originaire d'où ?	c. Coréenne.
4. Vous avez la double nationalité ?	d. De Colombie.
5. Il a la nationalité française, maintenant ?	e. Oui, américaine et irlandaise.
6. Vous êtes né en province ?	f. Je suis originaire du Cambodge.
7. Il est scandinave ?	g. Oui, il est naturalisé.

■ Test 3 Complétez par l'adjectif correspondant.

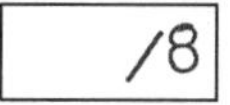

1. Il est originaire du Proche-Orient, il est ____________.
2. Elle vient de province, elle est ____________.
3. Il est originaire d'Afrique du Nord, il est ____________.
4. Elle a un père blanc et une mère noire, elle est ____________.
5. Ils ont obtenu l'asile politique, ils sont ____________.
6. Ils sont nés à New York, ils sont ____________.
7. Elle est danoise, il est suédois, tous les deux sont ____________.
8. Cet écrivain a définitivement quitté son pays et vit maintenant ici. Il est ____________.

Total:
/20

■ Test 1 Trouvez la forme féminine des termes suivants.

/8

1. Le mari ______
2. Le frère ______
3. Le grand-père ______
4. Le gendre ______
5. Le beau-frère ______
6. Le fils ______
7. Le neveu ______
8. Le cousin ______

■ Test 2 Complétez.

/12

1. Cécile est la fille du frère de Paul.

Cécile est la ______ de Paul. Paul est l' ______ de Cécile.

2. Maxime est le fils du fils de Charles.

Maxime est le ______ de Charles. Charles est le ______ de Maxime.

3. Irène est la femme du frère de Félix.

Irène est la ______ de Félix. Félix est le ______ d'Irène.

4. Jeannine est la mère du mari de Patricia.

Jeannine est la ______ de Patricia. Patricia est la ______ de Jeannine.

5. Renaud est le mari de la fille d'Henri.

Renaud est le ______ d'Henri. Henri est le ______ de Renaud.

6. Solange est la sœur du père de Guillaume.

Solange est la ______ de Guillaume. Guillaume est le ______ de Solange.

Total: /20

■ Test 1 Vrai ou faux ?

/8

	Vrai	Faux
1. Matthieu a 8 ans, c'est un enfant.	❑	❑
2. Hélène a 5 ans, c'est un bébé.	❑	❑
3. Violette a 14 ans, c'est une adolescente.	❑	❑
4. Edmond a 85 ans, c'est une personne âgée.	❑	❑
5. Julien a 8 mois, c'est un nouveau-né.	❑	❑
6. Ils ont 2 enfants, ils ont une famille nombreuse.	❑	❑
7. Frank a 19 ans, il est majeur.	❑	❑
8. Denis n'a pas de frère ni de sœur, il est enfant unique.	❑	❑

■ Test 2 Complétez.

/6

1. Marjorie et Geoffroy ont adopté Nicolas, ce sont les parents ____________ de Nicolas.
2. Bertrand et Solange ont un seul enfant, Alex. Alex est ____________ ____________.
3. Benjamin et Valentin sont nés le même jour. Ils sont frères ____________.
4. Michel est plus âgé que son frère Pierre. Michel est le frère ____________ de Pierre.
5. Frédéric a moins de 18 ans, il est encore ____________. À 18 ans, il sera ____________.
6. Ils ont 6 enfants, ils ont une famille ____________.

■ Test 3 Associez, pour constituer une phrase complète.

/6

1. Il fête	a. a grandi de 3 centimètres.
2. Elle a eu	b. jumelles.
3. Mon fils	c. un bébé.
4. René est	d. 30 ans, la semaine dernière.
5. Ce sont des sœurs	e. son quinzième anniversaire samedi.
6. Il a 3 ans, ce n'est plus	f. un parent éloigné.

Total:
/20

■ Test 1 Choisissez l'explication correcte.

/6

1. Michel et Claire s'aiment.
   a. Ils sont de grands amis.
   b. Ils sont amoureux.
2. Anne et Christian partent en voyage de noces.
   a. Ils vont se marier.
   b. Ils viennent de se marier.
3. Marc et Suzanne décident de faire un mariage civil.
   a. Ils vont se marier à la mairie.
   b. Ils vont se marier à la mairie et à l'église.
4. Marius est célibataire.
   a. Il n'est pas marié.
   b. Il n'est pas amoureux.
5. Antoine est témoin au mariage d'Agnès.
   a. Antoine va se marier avec Agnès.
   b. Antoine est présent au mariage d'Agnès.
6. Luc rencontre Flo.
   a. Luc est marié avec Flo.
   b. Luc fait la connaissance de Flo.

■ Test 2 Associez, pour constituer une phrase complète.

/7

1. Elle envoie
2. Ils vont vivre
3. Elle va se marier
4. Il demande Éléonore
5. Il est tombé
6. Ils partent
7. Ils s'entendent

a. amoureux.
b. en mariage.
c. bien.
d. des faire-part de mariage.
e. ensemble.
f. à l'église.
g. en voyage de noces.

■ Test 3 Complétez par un verbe approprié.

/7

1. Grégoire ________________ seul.
2. Grégoire ________________ la connaissance de Delphine.
3. Grégoire ________________ amoureux de Delphine.
4. Grégoire et Delphine décident de ________________ ensemble.
5. Grégoire ________________ Delphine en mariage.
6. Delphine ________________ leurs faire-part de mariage.
7. Grégoire et Delphine ________________ à l'église.

Total:
/20

■ Test 1 Vrai ou faux ?

/6

	Vrai	Faux
1. Il a demandé le divorce. = Il a divorcé.	❑	❑
2. Elle va se remarier. = Elle a déjà été mariée.	❑	❑
3. François est l'ex-mari de Valérie. = Ils ont divorcé.	❑	❑
4. Viviane a quitté Sébastien. = Viviane et Sébastien sont séparés.	❑	❑
5. Denis a épousé Natacha. = Denis s'est marié avec Natacha.	❑	❑
6. Benoît ne s'entend pas avec Arlette. = Denis va se réconcilier avec Arlette.	❑	❑

■ Test 2 Répondez par le contraire.

/5

1. Marina et Raphaël s'adorent ? – Non, au contraire, ils ______________.

2. Blaise et Flo vont se marier ? – Mais non, ils vont ______________.

3. Agathe et Damien s'entendent bien ? – Non, ils ______________.

4. Mathilde est la femme de Guillaume ? – Non, c'est son ______________.

5. Ils se disputent souvent ? – Oui, mais après quelques jours, ils ______________.

■ Test 3 Associez une question et une réponse.

/5

1. Vous êtes marié ?
2. Qui a la garde des enfants ?
3. Pourquoi avez-vous divorcé ?
4. Vous vivez seul ?
5. Vous voulez vous remarier ?

a. Parce que nous nous disputions.
b. Non, je ne pense pas.
c. Non, divorcé.
d. Mon ex-femme.
e. Non, j'ai rencontré quelqu'un.

■ Test 4 Trouvez le nom correspondant aux verbes suivants.

/4

1. divorcer ______________
2. aimer ______________
3. s'entendre ______________
4. se marier ______________
5. se rencontrer ______________
6. se séparer ______________
7. se réconcilier ______________
8. se disputer ______________

Total:
/20

■ Test 1

/5

Choisissez la bonne réponse.

1. Elle a beaucoup de | chagrin | larmes |.
2. Il a éclaté de | joie | rire |.
3. J'ai eu | les larmes | le rire | aux yeux.
4. Ce n'était pas sérieux, c'était pour | pleurer | rire |.
5. Nous avons eu le fou | bonheur | rire |.

■ Test 2

/5

Comment appelle-t-on...

1. une femme qui a perdu son mari ? ____________________
2. un enfant qui a perdu ses parents ? ____________________
3. l'endroit où se trouvent les tombes ? ____________________
4. les bouquets que l'on pose sur les tombes ? ____________________
5. un homme qui a perdu sa femme ? ____________________

■ Test 3

/5

Associez les contraires.

1. Il éclate de rire.
2. Il éprouve de la joie.
3. Il est gai.
4. Il éprouve des sentiments forts.
5. Il rit aux éclats.

a. Il est triste.
b. Il pleure à chaudes larmes.
c. Il fond en larmes.
d. Il a du chagrin.
e. Il est indifférent.

■ Test 4

/5

Complétez.

1. Le petit Daniel a perdu ses parents, il est ____________.
2. C'est tragique, Simon est allé à ____________ d'un ami qui vient de mourir.
3. Le 2 novembre, on pose des fleurs sur les ____________ dans le ____________.
4. Paulette a perdu son mari, elle est ____________.

Total:
/20

Test 1 Choisissez la bonne réponse.

/4

1. Nous | sommes | tombons | quel jour ?
2. Quand | tient | a | lieu l'exposition ?
3. Noël | fait | tombe | quel jour, cette année ?
4. Nous | avons | sommes | le combien ?

Test 2 Vrai ou faux ?

/5

	Vrai	Faux
1. Il est parti huit jours. = Il est parti une semaine.	❑	❑
2. C'est un jour férié. = On ne travaille pas ce jour-là.	❑	❑
3. Il est arrivé la veille de mon anniversaire. = Il est arrivé le jour après mon anniversaire.	❑	❑
4. Elle a un cours de gym le jeudi. = Elle prend un cours tous les jeudis.	❑	❑
5. Ils sont partis le lendemain de la fête. = Ils sont partis une semaine après.	❑	❑

Test 3 Complétez.

/5

1. Aujourd'hui, nous ________________ le 18.
2. Mon amie est arrivée jeudi ________________, c'est-à-dire le 12.
3. Elle est repartie le 13, le ________________.
4. Le 14 juillet ________________ un mardi, cette année.
5. Il part en vacances pour ________________ jours (= deux semaines).

Test 4 Trouvez la question.

/6

1. ________________ ? – Mercredi 20 novembre.
2. ________________ ? – On est lundi.
3. ________________ ? – Nous sommes le 4.
4. ________________ ? – Le 15 août tombe un vendredi.
5. ________________ ? – C'est en mai, et j'aurai 30 ans !
6. ________________ ? – Le Mois de la photo a lieu chaque année, en novembre.

Total:
/20

■ Test 1 Choisissez la bonne réponse.

/5

1. Elle a | passé | fait | sa journée à la maison.
2. Ils | ont | font | la journée continue.
3. | C'est | Ça fait | le jour et la nuit !
4. J'ai | eu | fait | la grasse matinée.
5. Du jour au | demain | lendemain |, il peut partir en voyage.

■ Test 2 Donnez le contraire des mots soulignés.

/5

1. Il y a un beau <u>lever de soleil</u>. ____________
2. <u>Le jour se lève</u>. ____________
3. Le soleil <u>se lève</u>. ____________
4. Il fait <u>jour</u>. ____________
5. Il fait <u>grand jour</u>. ____________

■ Test 3 Complétez par « jour », « journée », « soir » ou « soirée ».

/10

1. Du ____________ au lendemain, il change d'avis.
2. Nous avons passé une très bonne ____________. (*2 possibilités*)
3. Elle travaille du matin au ____________.
4. Le bébé fait la sieste trois fois par ____________.
5. Ils ont eu des réunions deux ____________ de suite.
6. Il travaille énormément et tout le temps, il travaille ____________ et nuit.
7. Mes amis ont organisé une petite ____________ chez eux. Le dîner était bon et la conversation intéressante.
8. Un ____________, peut-être, nous aurons une maison au bord de la mer.
9. En fin de ____________, il va chercher les enfants à l'école.
10. J'ai travaillé toute la ____________ sur ce projet.

Total:
/20

■ Test 1 Donnez l'heure en registre quotidien (12 heures).

/6

1. 12 h 30 ____________________
2. 17 h 15 ____________________
3. 18 h 45 ____________________
4. 21 h 40 ____________________
5. 14 h 35 ____________________
6. 0 h 00 ____________________

■ Test 2 Choisissez la bonne réponse.

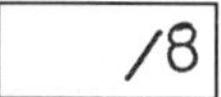

1. Quelle [temps|heure] est-il ?
2. Vous pouvez me [dire|faire] l'heure, s'il vous plaît ?
3. Vous avez [la demi-heure|l'heure] ?
4. Il est 4 heures [plus cinq|moins cinq].
5. Elle est arrivée à 8 heures [exactes|pile].
6. Il a un entraînement de football à 7 heures [de la nuit|du soir].
7. J'ai attendu le train [deux|trois] quarts d'heure.
8. Ils sont allés déjeuner à [midi|minuit].

■ Test 3 Associez, pour constituer une phrase complète.

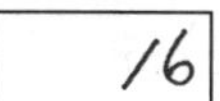

1. Quelle heure
2. À quelle heure
3. Vous avez
4. Vous pouvez me
5. Il est
6. Ça ouvre

a. midi.
b. à quelle heure ?
c. est-il ?
d. est-ce que tu as rendez-vous ?
e. l'heure ?
f. dire l'heure ?

Total:
/20

Test 1 Associez une phrase et son explication.

/6

1. Il prend son temps.
2. Elle s'est levée de bonne heure.
3. Il a le temps.
4. La pendule retarde.
5. Il est arrivé à l'heure.
6. Elle a gagné du temps.

a. Elle marque 10 h 10, mais il est 10 h 15.
b. Il est toujours ponctuel.
c. Elle a mis 20 minutes au lieu de 45.
d. Il ne se dépêche pas.
e. Il n'est pas pressé.
f. Il était 6 h du matin.

Test 2 Répondez par le contraire.

/6

1. Est-ce qu'il a le temps ? – Non, il ______________________.
2. Vous avez perdu du temps ? – Non, j' ______________________.
3. Il se dépêche, le matin ? – Non, il ______________________.
4. Vous êtes parti de bonne heure ? – Non, je ______________________.
5. Elle est arrivée en retard ? – Non, elle ______________________.
6. La pendule avance ? – Non, elle ______________________.

Test 3 Complétez par un verbe approprié.

/8

1. Je suis allé à ce rendez-vous à moto pour ______________________ du temps.
2. Il ______________________ combien de temps pour aller de Paris à Dijon, en TGV ?
3. Hier soir, j'ai ______________________ plus d'une heure pour rentrer chez moi !
4. Elle ______________________ juste à temps pour attraper le dernier bus.
5. J'ai ______________________ une très bonne soirée, hier.
6. Excusez-moi, je ______________________ pressé !
7. Tu ______________________ le temps, tu ______________________ en avance !

Total:
/20

6 ■ LE TEMPS QU'IL FAIT

■ Test 1 Choisissez la bonne réponse.

/5

1. Il fait mauvais / mal.
2. Quel temps est / fait -il ?
3. Il fait gris / clair.
4. Le temps / La journée s'améliore.
5. Il fait une froideur / chaleur insupportable.

■ Test 2 Associez les phrases de même sens.

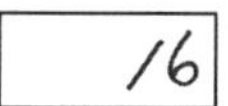

1. Il fait beau.
2. Il fait lourd.
3. Il fait une chaleur torride.
4. Le temps est changeant.
5. Il fait un temps splendide.
6. Il fait un temps affreux.

a. Il fait orageux.
b. Il fait un temps magnifique.
c. Il fait une belle journée.
d. Il fait un temps épouvantable.
e. Le temps est incertain.
f. C'est la canicule.

■ Test 3 Choisissez les termes possibles.

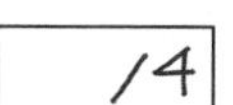

1. Il fait bon / incertain / affreux / lourd / humide.
2. Le temps s'améliore / fait froid / fait gris / se dégrade.
3. Il fait un temps beau fixe / splendide / affreux / torride / magnifique.
4. Il fait – 3 °C / une belle journée / changeant / gris / 25 °C à l'ombre.

■ Test 4 Complétez par le contraire.

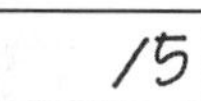

1. Il ne fait pas beau, il fait ______________________.
2. Il n'y a pas de soleil, il fait ______________________.
3. Le temps ne s'améliore pas, il ______________________.
4. Il ne fait pas un temps magnifique, il ______________________.
5. Le temps n'est pas au beau fixe, il ______________________.

Total:
/20

■ Test 1 Vrai ou faux ?

/5

	Vrai	Faux
1. Il y a du brouillard. = On ne voit rien sur les routes.	❑	❑
2. Il y a une tornade. = Il pleut à torrents.	❑	❑
3. Il y a des éclairs. = Il y a un orage.	❑	❑
4. Le fleuve déborde. = La sécheresse est terrible.	❑	❑
5. Le ciel est couvert. = Il y a des nuages.	❑	❑

■ Test 2 Associez, pour constituer une phrase complète.

/5

1. Il pleut	**a.** du verglas.
2. La route est	**b.** à travers les nuages.
3. On entend	**c.** à verse.
4. Il gèle, il y a	**d.** inondée.
5. On voit le soleil	**e.** le tonnerre.

■ Test 3 Éliminez l'intrus.

/5

1. brume / inondation / brouillard / nuage
2. verglas / givre / éclair / grêle
3. averse / brume / bruine / pluie
4. foudre / éclair / tonnerre / congère
5. tornade / ouragan / éclaircie / tempête

■ Test 4 Complétez par un verbe.

/5

1. Un orage ____________________.
2. La pluie ____________________.
3. Le vent ____________________.
4. Le fleuve ____________________.
5. Il ____________________, des congères commencent à se former.

Total:
/20

■ Test 1 Vrai ou faux ?

/6

	Vrai	Faux
1. Le Soleil tourne autour de la Terre.	❑	❑
2. Les étoiles brillent dans le ciel.	❑	❑
3. Le soleil se lève à l'est.	❑	❑
4. L'Europe est dans l'hémisphère Sud.	❑	❑
5. Il y a quatre points cardinaux.	❑	❑
6. Une île est entourée par la mer.	❑	❑

■ Test 2 Choisissez la bonne réponse.

/5

1. Il a les pieds sur [la terre | terre].

2. Fanny est toujours dans [la lune | le ciel].

3. Le soleil [s'endort | se couche] à l'ouest.

4. J'aime bien m'asseoir [par terre | sur terre].

5. Ce n'est pas [l'eau | la mer] à boire.

■ Test 3 Éliminez l'intrus.

/5

1. mer / océan / continent

2. lune / soleil / ciel

3. Mars / la Terre / l'Amérique

4. équateur / hémisphère Nord / globe terrestre

5. se lever / se coucher / briller

■ Test 4 Complétez par un verbe approprié.

/4

1. Le soleil ______________________ à l'ouest.

2. La Terre ______________________ autour du Soleil.

3. Le soleil ______________________ à l'est.

4. Les étoiles ______________________ dans le ciel.

Total:
/20

■ Test 1 Choisissez la bonne réponse.

/6

1. Nous allons au bord de la côte / mer.
2. La mer est agitée / pleine.
3. Il y a beaucoup de vagues / galets sur la plage.
4. Le bateau remonte le courant / l'estuaire.
5. Le fleuve prend sa rivière / source dans les montagnes.
6. L'eau de mer est salée / sale.

■ Test 2 Devinez de quoi on parle.

/6

1. C'est l'endroit où les bateaux arrivent : __________.
2. Elle peut être haute ou basse : __________.
3. C'est plus petit qu'une rivière : __________.
4. Elle est salée : __________.
5. Quand elles sont très hautes, il est dangereux de se baigner : __________.
6. Elle est arrosée par un fleuve ou une rivière : __________.

■ Test 3 Répondez par le contraire.

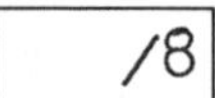

1. La mer n'est pas agitée, elle est __________.
2. La marée n'est pas haute, elle est __________.
3. Il n'habite pas en amont, mais en __________.
4. Le bateau ne suit pas le courant, il le __________.
5. Le bateau ne navigue pas près de la côte, mais en __________.
6. La marée n'est pas descendante, mais __________.
7. Le bateau n'arrive pas au port, mais il le __________.
8. L'eau n'est pas salée, elle est __________.

Total:
/20

■ Test 1 Éliminez l'intrus.

/5

1. sommet / torrent / montagne / plaine
2. champ / prairie / plaine / pré
3. village / hameau / avalanche / ferme
4. campagne / montagne / vallée / col
5. nature / colline / montagne / vallée

■ Test 2 Choisissez la bonne réponse.

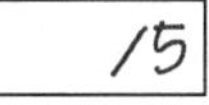

1. Ils habitent dans un petit | hameau | refuge |.
2. Il y a des risques | d'avalanche | de torrents |.
3. | Le sommet | Le col | de cette montagne est à 2 456 mètres d'altitude.
4. Il y a beaucoup de | champs | chalets | dans cette région agricole.
5. Ils élèvent des moutons dans une | ferme | forêt |.

■ Test 3 Associez, pour constituer une phrase complète.

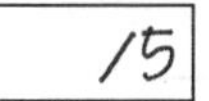

1. Le Mont Blanc est à 4 807 m
2. Ils ont dormi
3. Il y a des champs
4. Ils habitent
5. Il a

a. dans le refuge.
b. un chalet en montagne.
c. d'altitude.
d. dans la plaine.
e. dans un petit hameau.

■ Test 4 De quoi parle-t-on ?

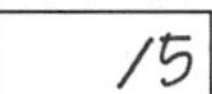

1. C'est plus petit qu'un village : ______________________.
2. C'est une rivière de montagne : ______________________.
3. C'est le point le plus haut d'une montagne : ______________________.
4. C'est plus petit qu'une montagne : ______________________.
5. C'est un petit chemin dans la campagne ou la forêt : ______________________.

Total:
/20

Test 1 Éliminez l'intrus.

/5

1. feuille / branche / pot
2. marguerite / muguet / champignon
3. tronc / racine / bouquet
4. parterre / plate-bande / pelouse
5. jardinière / pot / jardinier

Test 2 Associez, pour constituer une phrase complète.

/5

1. La fleur a une tige et des
2. Je dois tondre
3. L'arbre a des racines et un
4. Le jardinier prépare un beau
5. Nous allons aux

a. tronc.
b. champignons.
c. la pelouse.
d. pétales.
e. parterre de fleurs.

Test 3 De quoi parle-t-on ?

/5

1. C'est la fleur qu'on offre le 1er mai. C'est le ______________________.
2. Le jardinier la tond tous les deux mois. C'est la ______________________.
3. Je cueille des fleurs, et je fais un ______________________.
4. En automne, on en ramasse beaucoup et on les mange. Ce sont les ______________.
5. Celles des arbres sont souvent longues et profondes. Ce sont les ______________.

Test 4 Complétez par un verbe approprié.

/5

1. En été, on doit ______________________ les plantes tous les jours.
2. Certaines fleurs ______________________ très bon.
3. Les tulipes ______________________ au printemps.
4. Après un certain temps, une fleur cueillie se ______________________.
5. Au printemps, on peut ______________________ des géraniums.

Total:
/20

■ Test 1 Fruits ou légumes ? Complétez le tableau suivant.

/5

fraise – poireau – pomme de terre – poire – cerise – carotte – aubergine – pomme – poivron – noisette

fruits	légumes
....	....
....	....
....	....
....	....
....	....
....	....

■ Test 2 Retrouvez 10 autres noms d'arbres fruitiers (5 horizontalement, 5 verticalement).

/10

E	**A**	**M**	**A**	**N**	**D**	**I**	**E**	**R**	E	S
D	I	H	F	P	N	O	Y	E	R	C
B	R	P	J	O	A	L	P	U	P	E
A	V	O	L	I	V	I	E	R	E	R
N	B	M	S	R	K	G	C	Z	C	I
A	Q	M	W	I	E	L	M	S	H	S
N	O	I	S	E	T	I	E	R	E	I
I	T	E	O	R	A	N	G	E	R	E
E	P	R	U	N	I	E	R	Y	A	R
R	G	L	E	T	V	S	A	M	U	I

■ Test 3 Complétez par un verbe.

/5

1. La salade ______________________ dans le potager.

2. On ______________________ les fruits.

3. Le jardinier ______________________ le jardin.

4. Il ______________________ les pommes de terre.

5. En septembre, on ______________________ les vendanges.

Total: /20

Test 1

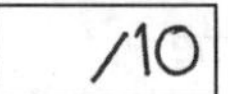

Retrouvez 10 noms au singulier d'animaux de la ferme (5 horizontalement, 5 verticalement).

R	I	C	O	C	H	O	N	U	M
F	A	E	C	H	E	V	A	L	O
S	L	B	O	E	U	F	E	J	U
A	R	G	E	V	E	A	U	F	T
V	F	C	U	R	D	C	E	H	O
O	Z	O	A	E	L	A	P	I	N
T	M	Q	U	O	R	N	O	G	E
V	I	B	T	Z	I	A	U	L	Y
C	R	Z	J	U	T	R	L	E	N
M	I	A	L	O	R	D	E	S	D

Test 2

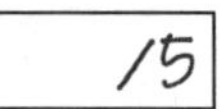

Choisissez la bonne réponse.

1. Le chien [aboie | miaule].
2. Le chat [tire la queue | ronronne].
3. On doit tenir les chiens [en laisse | par la patte].
4. Le chien [griffe | mord].
5. Isabelle [promène | se promène] le chien.

Test 3

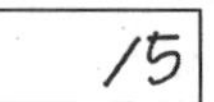

Associez une situation et une expression imagée.

1. Il a très mauvais caractère.
2. Il n'y a personne.
3. Il fait très mauvais.
4. Il est très doux.
5. Ils ont une mauvaise relation.

a. Il est doux comme un agneau.
b. Ils s'entendent comme chien et chat.
c. Il a un caractère de cochon.
d. Il n'y a pas un chat.
e. Il fait un temps de chien.

Total:
/20

Test 1 Choisissez la bonne réponse.

/5

1. La crevette | La moule est un coquillage.
2. Le chasseur chasse le lièvre | la grenouille.
3. Il s'est fait mordre | piquer par une guêpe.
4. Le sanglier | Le papillon est un insecte.
5. On ramasse | pêche des poissons.

Test 2 Vrai ou faux ?

/5

	Vrai	Faux
1. On ramasse les grenouilles.	❑	❑
2. On chasse le gibier.	❑	❑
3. On pêche le poisson.	❑	❑
4. Le saumon est un fruit de mer.	❑	❑
5. Certains insectes mordent.	❑	❑

Test 3 De quel insecte parle-t-on ?

/5

1. Elle fait une toile. C'est ______.
2. Elle vit dans une ruche. C'est ______.
3. Il est joli, coloré, il ne pique pas. C'est ______.
4. Il est très petit et pique. C'est ______.
5. Elle est petite, noire, et ne pique pas. C'est ______.

Test 4 Complétez par un nom.

/5

1. Le ______ va à la pêche.
2. Le chasseur va à la ______.
3. Le ______ nage dans l'eau.
4. L'abeille fabrique du ______.
5. Les Français mangent des ______ de grenouille.

Total:
/20

■ Test 1 Complétez les mots croisés suivants.

/10

Horizontalement :

1. Il est très grand, plat, dangereux, et se cache dans l'eau.
2. Elle est très haute, douce, et vit dans certains déserts.
3. Il est blanc, brun ou noir, il est dangereux.
4. C'est le roi des animaux.
5. Il est énorme, gris, avec une trompe et de grandes oreilles.

Verticalement :

a. Il est dangereux ou non, il glisse dans l'herbe.
b. Il a une bosse, il est très grand et vit dans le désert.
c. C'est l'ancêtre de l'Homme.
d. Il ressemble un peu à un cheval, il est noir et blanc.
e. Il est beau, souple, rapide et féroce.

■ Test 2 Associez une situation et une expression imagée.

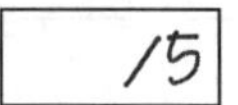

1. Il a les cheveux vraiment noirs.
2. Elle répète ce qu'elle entend sans comprendre.
3. Elle chante merveilleusement bien.
4. Ce sac est très léger.
5. Un seul exemple ne suffit pas.

a. C'est un vrai rossignol.
b. Il est léger comme une plume.
c. Une hirondelle ne fait pas le printemps.
d. Ils sont noirs comme un corbeau.
e. C'est un vrai perroquet.

■ Test 3 Vrai ou faux ?

/5

	Vrai	Faux
1. La colombe est le symbole de la paix.	❑	❑
2. L'oiseau vole.	❑	❑
3. Le corbeau est le symbole de la puissance.	❑	❑
4. Le pigeon vole au-dessus de la mer.	❑	❑
5. Le rossignol chante beaucoup.	❑	❑

Total:
/20

■ Test 1 Complétez les dessins suivants.

/15

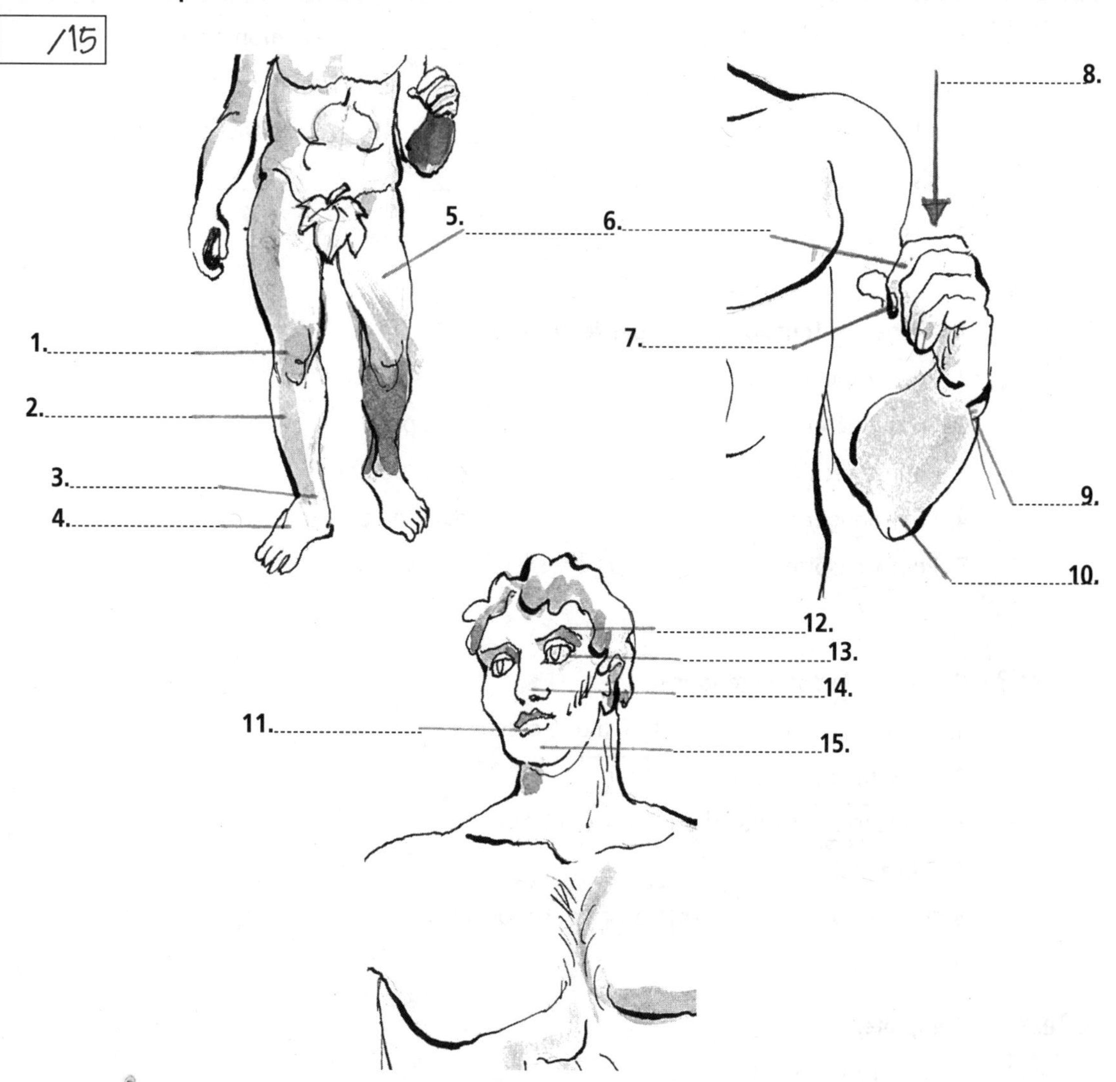

■ Test 2 Vrai ou faux ?

/5

	Vrai	Faux
1. Nous avons des cheveux sur les bras.	❑	❑
2. La cheville relie la main au bras.	❑	❑
3. La bouche a deux lèvres.	❑	❑
4. La nuque est l'arrière du cou.	❑	❑
5. L'orteil est un doigt de pied.	❑	❑

Total:
/20

■ Test 1 Trouvez le nom correspondant aux verbes suivants.

/5

1. Le cœur bat. Je sens les ______________________ de mon cœur.
2. Il pense. La ______________________ est le propre de l'Homme.
3. Elle digère. La ______________________ est parfois difficile.
4. Il saigne. Il perd beaucoup de ______________________.
5. Il respire. J'entends sa ______________________.

■ Test 2 Associez une fonction et une partie du corps.

/5

1. Pour respirer :
2. Pour digérer :
3. Pour réfléchir :
4. Pour bouger :
5. Pour transpirer :

a. les muscles.
b. la peau.
c. les poumons.
d. le cerveau.
e. l'estomac.

■ Test 3 Choisissez la bonne réponse.

/5

1. Il a mangé trop de gâteaux, il a une crise de [foie | estomac].
2. Il me tape sur les [muscles | nerfs].
3. J'ai le [cœur | cerveau] qui bat très fort.
4. Elle a mal aux [nerfs | reins].
5. Il fait chaud, on [respire | transpire] beaucoup.

■ Test 4 Complétez.

/5

1. Il est fort, il a des ______________________.
2. Il s'est coupé, il perdu du ______________________.
3. Il respire par le ______________________ ou par la ______________________.
4. Elle s'est fait mal au dos, elle a mal aux ______________________.

Total:
/20

■ Test 1 Choisissez la bonne réponse.

/6

1. Il a une bonne vue ?
   a. Oui, il a de bons yeux.
   b. Oui, il a de bonnes oreilles.
2. Elle est sourde ?
   a. Oui, elle ne sent rien.
   b. Oui, elle n'entend rien.
3. Il a de bons yeux ?
   a. Oui, il a un beau regard.
   b. Non, il devient aveugle.
4. Tu sens le goût de poisson ?
   a. Non, je n'ai pas encore goûté.
   b. Non, ce n'est pas bon.
5. Il a un bon odorat ?
   a. Non, ça a mauvais goût.
   b. Oui, il sent toutes les odeurs.
6. Ça sent bon ?
   a. Non, ça sent mauvais.
   b. Oui, ça a bon goût.

■ Test 2 Choisissez la bonne réponse.

/6

1. Ça sent | bien | bon |.
2. Ça a bon | goût | odorat |.
3. Elle a | l'ouïe | la vue | fine.
4. Il n'entend pas, il est | sourd | aveugle |.
5. Les chiens ont un | goût | odorat | très développé.
6. Il | entend | voit | clair.

■ Test 3 Complétez ces expressions imagées.

/8

1. J'en ai assez, j'en ai plein le ______________________.
2. Cela se voit comme le ________________ au milieu de la ____________________.
3. Elle est généreuse, elle a bon ____________________.
4. Il est très réaliste. Il a la ____________________ sur les ____________________.
5. C'est évident, cela saute aux ____________________ !
6. Je n'ai pas fermé l'______________________ de la nuit !
7. Ils sont restés calmes, ils ont gardé leur ____________________.
8. Je l'aime, je l'ai dans la ______________________.

Total:
/20

■ Test 1 Choisissez la bonne réponse.

/6

1. Ils [vont | sont] bien.
2. Elle [sent | se sent] fatiguée.
3. Il [a | est] en bonne santé.
4. Ils [ont | sont] l'air en forme.
5. Elle [est | a] bonne mine.
6. Il n'en [peut | sent] plus.

■ Test 2 Associez les phrases de sens équivalent.

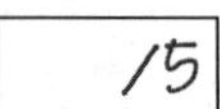

1. Elle est en très bonne santé.
2. Elle n'en peut plus.
3. Elle a mauvaise mine.
4. Elle a très mal.
5. Elle va mieux.

a. Elle est blanche comme un linge.
b. Elle a meilleure mine.
c. Elle est crevée.
d. Elle est en pleine forme.
e. Elle a une douleur.

■ Test 3 Complétez par un verbe.

/5

1. Ça ______________________ mieux ?
2. Je me ______________________ mal.
3. Elle ne dort pas, elle ______________________ de sommeil.
4. Il ______________________ mal à la tête.
5. Elle ______________________ chaud.

■ Test 4 Choisissez la bonne explication.

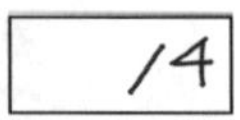

1. a. Il a l'air crevé.
   b. Il a mal à la tête.

2. a. Elle est en pleine forme.
   b. Elle manque d'énergie.

3. a. Elle est malade.
   b. Elle a mal au dos.

4. a. Il a besoin de repos.
   b. Il a un gros appétit.

Total:
/20

11 ■ LE PHYSIQUE – L'APPARENCE

V.P.F. PAGE 64

■ Test 1 Vrai ou faux ?

/6

	Vrai	Faux
1. Il mesure 1,60 m. = Il est petit.	❑	❑
2. Il a perdu du poids. = Il a pris des kilos.	❑	❑
3. Elle est souple. = Elle n'est pas raide.	❑	❑
4. Il s'est pesé. = Il s'est mesuré.	❑	❑
5. Elle est maigre. = Elle est trop mince.	❑	❑
6. Il fait un régime amaigrissant. = Il veut garder la ligne.	❑	❑

■ Test 2 Associez, pour constituer une phrase complète.

/5

1. Il a le teint	**a.** fine.
2. Elle a la peau	**b.** roux.
3. Ils sont de taille	**c.** pâle.
4. Elle a les cheveux	**d.** claire.
5. Elle a la taille	**e.** moyenne.

■ Test 3 Choisissez la bonne réponse.

/5

1. Combien est-ce qu'il mesure ?
a. 72 kg.
b. 1,72 m.

2. Il est comment ?
a. En bonne santé.
b. Grand et mince.

3. Elle fait un régime ?
a. Oui, elle veut garder la ligne.
b. Oui, elle est trop raide.

4. Elle pèse combien ?
a. Je ne sais pas, mais elle est trop grande.
b. Je ne sais pas, mais elle est trop grosse.

5. Il est grand ?
a. Non, il n'est pas mince.
b. Non, il est de taille moyenne.

■ Test 4 Que font-ils ?

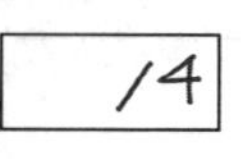

1. ______________________________ **2.** ______________________________

Total: /20

■ Test 1 Associez, pour constituer une phrase complète.

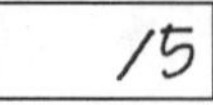

1. Il a	**a.** son âge.
2. Elle est jolie	**b.** mal.
3. Il est moche	**c.** comme un cœur.
4. Elle ne fait pas	**d.** une quarantaine d'années.
5. Il n'est pas	**e.** comme un pou.

■ Test 2 Choisissez la bonne réponse.

/5

1. Le bébé a la peau [lisse | allongée].
2. Carmen a le [teint | type] mat.
3. Cet homme a le visage tout [bridé | ridé].
4. Krzysztof a le [visage | type] slave.
5. Cet homme est [beau | joli] comme un dieu !

■ Test 3 Choisissez les termes possibles.

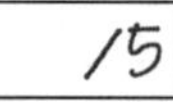

1. François est [laid | beau | joli | bridé | séduisant].
2. Élodie est [ravissante | moche | mate | lisse].
3. Elle a la peau [lisse | ridée | allongée].
4. Matthieu a le visage [nordique | noir | carré | rond | ridé].
5. Ils ont le teint [pâle | lisse | bridé | mat | basané].

■ Test 4 Répondez par le contraire.

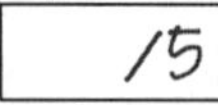

1. Il est beau ? – Non, il est ______________________.
2. Il a la peau lisse ? – Non, il a la peau ______________________.
3. C'est un homme jeune ? – Non, c'est un homme ______________________.
4. Elle a le teint mat ? – Non, elle a le teint ______________________.
5. Il a le visage allongé ? – Non, il a le visage ______________________.

Total:
/20

■ Test 1 Vrai ou faux ?

/5

	Vrai	Faux
1. Il est chauve. = Il n'a pas de cheveux.	❑	❑
2. Elle a les cheveux raides. = Elle a les cheveux longs.	❑	❑
3. Elle est très soignée. = Elle est mal coiffée.	❑	❑
4. Il est poivre et sel. = Il a les cheveux noirs.	❑	❑
5. Elle est élégante. = Elle porte de beaux vêtements.	❑	❑

■ Test 2 Éliminez l'intrus.

/5

1. blond / brun / marron / roux
2. raide / barbu / ondulé / frisé
3. coquet / chauve / soigné / élégant
4. frange / tresse / grain de beauté / queue de cheval
5. gris / vert / blanc / poivre et sel

■ Test 3 Choisissez les termes possibles.

/5

1. Elle a les cheveux | courts | longs | faux | gris-verts | blancs |.
2. Il est | chauve | gris | attaché | beau | brun |.
3. Il a | des lunettes | en tresse | une barbe | une moustache |.
4. Elle est | courte | soignée | coquette | négligée | ondulée |.
5. Il a les cheveux | noirs | frisés | élégants | dégarnis | raides |.

■ Test 4 Complétez par un nom.

/5

1. Son visage est couvert de taches de ______________________.
2. Elle porte toujours une queue de ______________________.
3. Il a un grain de ______________________ sur la joue.
4. Il ne voit pas bien, il est obligé de porter des ______________________.
5. Elle a les cheveux attachés par une ______________________.

Total:
/20

■ Test 1 Retrouvez 10 noms de vêtements (5 horizontalement et 5 verticalement).

/10

S A M N B U I R Y G M P Z
A P A N T A L O N D E A L
R Y N R U W F B E S L N O
D J T Z S F V E S T E O H
I A E C H E M I S E U R U
L M A Q O Z K Z I N X A D
F A U W R B V J U P E K M
N I S G T A M A I L L O T

■ Test 2 Éliminez l'intrus.

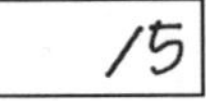

1. manteau / imperméable / chemisier / veste
2. gilet / chemise / robe / costume
3. short / anorak / bermuda / maillot de bain
4. robe / peignoir / chemise de nuit / pyjama
5. salopette / polo / pull / T-shirt

■ Test 3 Devinez de quel vêtement on parle.

/5

1. Il peut être en V ou ras du cou. C'est un ______________________.
2. On le porte pour nager. C'est un ______________________.
3. C'est un vêtement de femme, composé d'une jupe et d'une veste. C'est un __________.
4. C'est un vêtement qu'on porte quand il pleut. C'est un ______________________.
5. Elle peut être droite, plissée, courte, longue. C'est une ______________________.

Total:
/20

■ Test 1 Choisissez la bonne réponse.

/5

1. Il porte quel type de chaussures ?
   a. Des mocassins.
   b. Des collants.
2. C'est un tissu synthétique ?
   a. Oui, c'est de la viscose.
   b. Oui, c'est imprimé.
3. La robe est à motifs ?
   a. Non, elle est à fleurs.
   b. Non, elle est unie.
4. Elle porte des collants ?
   a. Non, des chaussettes.
   b. Non, des chaussures.
5. Ce sont des chaussures à talon ?
   a. Non, elles sont à pois.
   b. Non, elles sont plates.

■ Test 2 Vrai ou faux ?

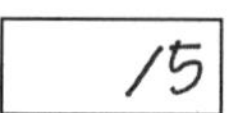

	Vrai	Faux
1. Les escarpins ont des talons.	❑	❑
2. Le caleçon est une sorte de chaussure.	❑	❑
3. La laine est une matière naturelle.	❑	❑
4. La culotte est un sous-vêtement féminin.	❑	❑
5. La semelle est un sous-vêtement masculin.	❑	❑

■ Test 3 Éliminez l'intrus.

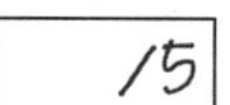

1. soutien-gorge / slip / culotte / collant
2. coton / lin / nylon / laine
3. semelle / pantoufle / mocassin / sandale
4. rayures / carreaux / bottes / pois
5. uni / imprimé / à motifs / à talon

■ Test 4 Choisissez les termes possibles.

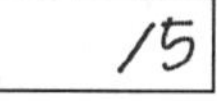

1. Je préfère les matières naturelles : | le lin | le cuir | le nylon | la soie |.
2. Les tissus sont | noirs | imprimés | en cuir | à rayures | à talon |.
3. Au pied, on peut mettre | des chaussures | des chaussettes | un caleçon | une combinaison | des socquettes |.
4. Elle a beaucoup de chaussures : | des semelles | des sandales | des escarpins | des bas | des baskets |.
5. Il a rangé ses sous-vêtements : | un caleçon | des chaussettes | des pantoufles |.

Total: /20

■ Test 1 Complétez les mots croisés suivants.

/12

Horizontalement :
1. Il peut être papillon.
2. Elle se porte au doigt.
3. On la met autour de la taille
4. On le porte sur la tête.
5. C'est un bijou qu'on met autour du poignet.

Verticalement :
a. On la met autour du cou pour tenir chaud.
b. On le prend quand il pleut.
c. Les hommes la mettent avec une chemise.
d. On le met aux mains quand il fait froid.
e. C'est un bijou qu'on accroche à un pull.
f. C'est pour savoir l'heure.
g. On les porte pour mieux voir.

■ Test 2 Choisissez la bonne réponse.

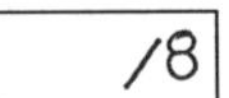

1. Qu'est-ce que tu vas | mettre | habiller |, demain ?
2. Tu | te changes | changes | ?
3. Comment est-ce que tu | t'habilles | portes | ?
4. J'ai décidé de | rester | enlever | en pantalon.
5. Il a | enfilé | porté | un pull et il est parti.
6. Elle | a | est | en robe.
7. Il | enlève | est habillé | son manteau.
8. Il | se met | met | en jean et en T-shirt.

Total: /20

■ Test 1 Choisissez la bonne réponse.

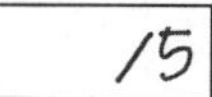

1. Ça se [fait | met] beaucoup.
2. Ça [lave | se lave] en machine.
3. Je peux [essayer | aller] ce pantalon ?
4. Quelle taille [faites | allez]-vous ?
5. Cette forme vous [amincit | essaye].

■ Test 2 Remettez le dialogue dans l'ordre.

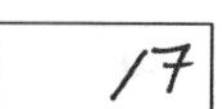

a. Je fais du 38.
b. Oui, madame, bien sûr. Les cabines sont au fond, à gauche.
c. Oui, bien sûr. Quelle taille faites-vous ?
d. Oui, je cherche un pantalon noir, assez habillé.
e. Voilà trois modèles en 38.
f. Bonjour, madame, je peux vous renseigner ?
g. Je peux les essayer ?

1. ______ 2. ______ 3. ______ 4. ______ 5. ______ 6. ______ 7. ______

■ Test 3 Associez une question et une réponse.

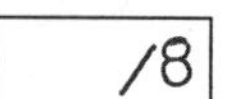

1. Quelle est votre pointure ?
2. Ça va, la taille ?
3. Je peux essayer ?
4. Quelle taille faites-vous ?
5. Je peux vous renseigner ?
6. Ça me va bien ?
7. C'est une jupe moulante ?
8. C'est à la mode ?

a. Oui, ça vous amincit !
b. Oui, ça se fait beaucoup.
c. Je chausse du 39.
d. Oui, elle est près du corps.
e. Non, c'est un peu petit.
f. Oui, les cabines sont à droite.
g. Oui, je cherche des pulls de ski.
h. Je fais du 42.

Total:
/20

■ Test 1 Choisissez la bonne réponse.

/5

1. Il est bricoleur : il | répare | range | les appareils qui ne marchent plus.
2. Nous avons aménagé une chambre dans le | débarras | grenier |.
3. J'ai oublié de fermer la porte à | la serrure | clé |.
4. Ils doivent | faire | prendre | des travaux dans la maison.
5. L'| escalier | ascenseur | est très raide.

■ Test 2 Vrai ou faux ?

/5

	Vrai	Faux
1. Un débarras est une pièce où l'on range des objets.	❑	❑
2. On peut marcher sur le plafond.	❑	❑
3. La clôture entoure le jardin.	❑	❑
4. Il y a deux chambres au bout de l'allée.	❑	❑
5. On peut mettre du papier peint sur les murs.	❑	❑

■ Test 3 Associez, pour constituer une phrase complète.

/5

1. Je ne connais pas mes voisins de	a. peint.
2. Je cherche la loge de	b. le débarras.
3. Il y a un grenier sous	c. palier
4. Il faut changer le papier	d. la concierge.
5. Elle a mis des cartons dans	e. les toits.

■ Test 4 De quoi parle-t-on ?

/5

1. C'est dans cet objet qu'on met le courrier. C'est ______________________.
2. On la glisse dans la serrure. C'est ______________________.
3. On y accroche les manteaux. C'est ______________________.
4. Il permet de monter et descendre les étages, sans fatigue ! C'est ______________________.
5. On y allume du feu dans la maison. C'est ______________________.

Total:
/20

■ Test 1 Complétez les mots croisés suivants.

/10

Horizontalement :
1. Permet d'éclairer.
2. Il y a des chaises autour.
3. Élément du lit.
4. Permet de faire la cuisine.
5. Une commode en a trois.
6. C'est en laine, et c'est sur le lit.

Verticalement :
a. Permet de faire cuire un gâteau.
b. Permet de chauffer une pièce à l'électricité ou au gaz.
c. Confortable siège pour plusieurs personnes.
d. Grand meuble qui permet de ranger.

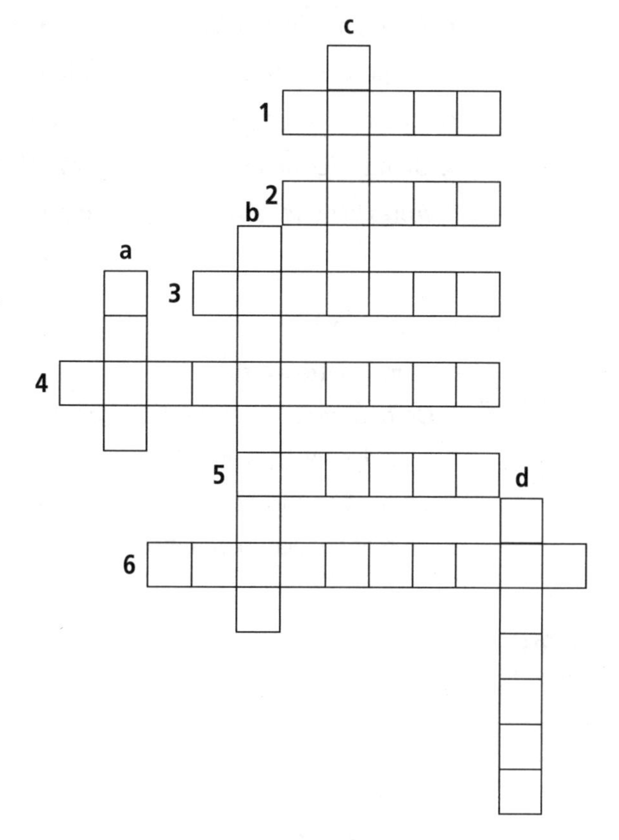

■ Test 2 Complétez.

/5

1. On ouvre les ______________________ pour avoir de l'eau chaude ou froide.
2. On place les cintres dans la ______________________.
3. Dans la maison, on met des ______________________ aux fenêtres.
4. L'ensemble des meubles constitue le ______________________.
5. On range les livres dans une ______________________.

■ Test 3 Dans quelle pièce se trouvent...

/5

1. le congélateur ? ______________________
2. le matelas ? ______________________
3. le canapé ? ______________________
4. les bouteilles de vin ? ______________________
5. l'évier ? ______________________

Total:
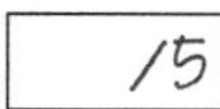

■ Test 1 Choisissez la bonne réponse.

/5

1. Il y a | un bain | une baignoire | dans la salle de bains.
2. J'ai posé des | tapis | voilages | sur le sol.
3. Il y a des | draps | rideaux | aux fenêtres.
4. On met des fleurs dans un | vase | bibelot |.
5. Après la douche, on utilise un | drap | drap de bain |.

■ Test 2 Vrai ou faux ?

/5

	Vrai	Faux
1. La moquette est sur le sol.	❑	❑
2. On peut mettre des fleurs sur le rebord des fenêtres.	❑	❑
3. Il y a des voilages au sol.	❑	❑
4. On peut accrocher des tables au mur.	❑	❑
5. On met beaucoup de bibelots dans la salle de bains.	❑	❑

■ Test 3 Complétez les légendes.

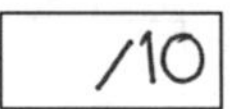

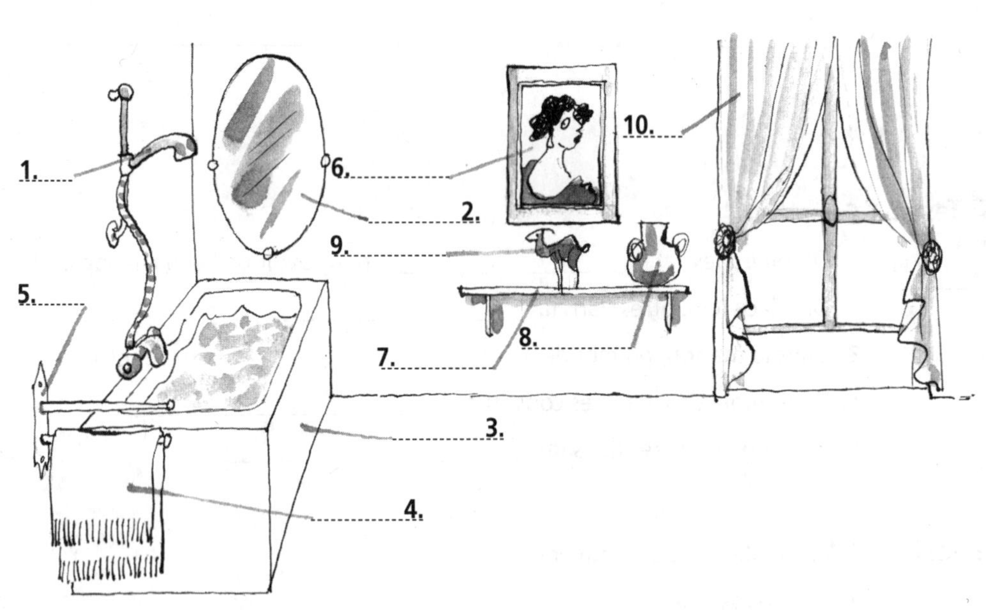

Total:
/20

■ Test 1 Remettez les phrases dans un ordre logique.

/5

a. Il signe un nouveau bail.

b. Il décide de déménager.

c. Il va à l'agence immobilière.

d. Il emménage dans le nouvel appartement.

e. Il visite plusieurs appartements.

1. ______ **2.** ______ **3.** ______ **4.** ______ **5.** ______

■ Test 2 Complétez.

/5

1. C'est le prix qu'on paye pour être locataire. C'est le ______________________.

2. C'est la personne qui possède l'appartement. C'est le ou la ______________________.

3. Ce sont les professionnels qui aident à déménager. Ce sont les ______________________.

4. C'est un appartement d'une seule pièce. C'est un ______________________.

5. C'est l'endroit où l'on va quand on cherche un appartement. C'est l'______________________ ______________________.

■ Test 3 Répondez par le contraire.

/6

1. L'appartement est en bon état ? – Non, il est ______________________.

2. Basile déménage ? – Non, il ______________________.

3. L'appartement est grand ? – Non, il est ______________________.

4. L'appartement est calme ? – Non, il est ______________________.

5. Le studio est clair ? – Non, il est ______________________.

6. Isabelle est propriétaire ? – Non, elle est ______________________.

■ Test 4 Associez une situation et une expression imagée.

/4

1. Florence ne sourit jamais.

2. Margot n'est pas discrète.

3. Romain fête sa nouvelle maison.

4. C'est clair que Nadège a fait un gros mensonge.

a. C'est gros comme une maison.

b. Il pend la crémaillère.

c. Elle crie tout sur les toits.

d. Elle est aimable comme une porte de prison.

Total:
/20

■ Test 1 Choisissez la bonne réponse.

/5

1. Ils | mettent | se mettent | la table.
2. Elle | se sert | sert | le dîner.
3. Ils | sont | ont | à table.
4. Nous | essuyons | asseyons | la vaisselle.
5. Je | me débarrasse | débarrasse | la table.

■ Test 2 Vrai ou faux ?

/5

	Vrai	Faux
1. Nous passons à table. = Nous essuyons la vaisselle.	❑	❑
2. Il fait la vaisselle. = Il lave les assiettes.	❑	❑
3. Nous nous mettons à table. = Nous mettons le couvert.	❑	❑
4. Elle sert le dîner. = Elle essuie la vaisselle.	❑	❑
5. Il débarrasse la table. = Il enlève les assiettes.	❑	❑

■ Test 3 Éliminez l'intrus.

/5

1. éponge / torchon / lave-vaisselle
2. s'habiller / se coucher / s'endormir
3. mettre la table / être à table / mettre le couvert
4. préparer le repas / se préparer / cuisiner
5. passer à table / déjeuner / dîner

■ Test 4 Répondez par le contraire.

/5

1. Il se réveille ? – Non, il ________________________.
2. Il s'habille ? – Non, il ________________________.
3. Il va au travail ? – Non, il ________________________.
4. Il se lève ? – Non, il ________________________.
5. Il met la table ? – Non, il ________________________.

Total: /20

■ Test 1 Complétez les mots croisés suivants.

/10

Horizontalement :

1. Sert à peigner.
2. Sert à raser.
3. On en met sur le visage.
4. Permet de se laver.

Verticalement :

a. Produit pour se laver les cheveux.
b. Produit pour se laver les dents.
c. Produit pour mettre sur les ongles.
d. Pour se brosser les cheveux.
e. Pour se parfumer.
f. Pour se démaquiller.

■ Test 2 Complétez.

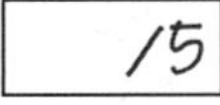

1. Pour me laver les dents, je prends ma ______________ à ______________.
2. Pour me laver les cheveux, j'utilise du ______________________.
3. Je me sèche les cheveux avec un ____________________-____________________.
4. Je me peigne avec un ______________________.
5. On peut se raser avec un ________________ et de la ________________ à raser.

■ Test 3 Trouvez le nom de l'objet correspondant aux verbes suivants.

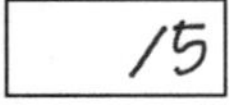

1. Se raser – Le ____.
2. Se brosser – La ____.
3. Se peigner – Le ____.
4. Se parfumer – Le ____.
5. Se maquiller – Le ____.

Total:
/20

■ Test 1 Choisissez la bonne réponse.

/5

1. J'enlève la poussière avec un [chiffon|balai-brosse].
2. Nous [faisons|passons] l'aspirateur.
3. Elle [étend|attend] le linge.
4. Nous devons faire [le linge|la lessive].
5. Je lave mon pull à [main|la main].

■ Test 2 Remettez les phrases dans l'ordre.

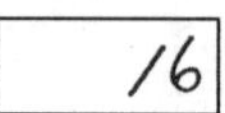

/6

a. Je repasse le linge.
b. Je plie le linge.
c. J'étends le linge.
d. Je range le linge.
e. Je lave le linge.
f. Je ramasse le linge.

1. ______ 2. ______ 3. ______ 4. ______ 5. ______ 6. ______

■ Test 3 Que font-ils ?

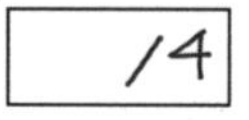

/4

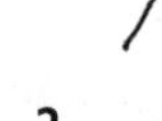

1. ________________ 2. ________________ 3. ________________ 4. ________________

■ Test 4 Complétez par un verbe approprié.

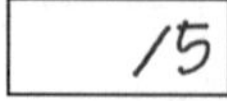

/5

1. Elle ________________ l'aspirateur.
2. Il ________________ les vitres.
3. Il ________________ du repassage.
4. Ils ________________ le balai.
5. Elle ________________ le sol.

Total: /20

■ Test 1 Éliminez l'intrus.

/5

1. maître / instituteur / professeur
2. collégien / enseignant / lycéen
3. diplôme / bac / école
4. collège / université / faculté
5. primaire / secondaire / tertiaire

■ Test 2 Associez, pour constituer une phrase complète.

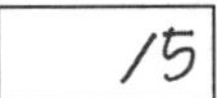

1. Il a de mauvais résultats, il a dû	a. à l'université.
2. Paul, au contraire,	b. au collège.
3. Ils sont étudiants	c. redoubler.
4. Il a fait	d. est passé en 3e.
5. Elle a 13 ans, elle est	e. ses études à Bordeaux.

■ Test 3 Choisissez la bonne réponse.

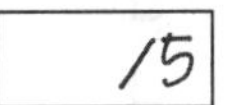

1. Félix est professeur ?
   a. Oui, en maternelle.
   b. Oui, en faculté.
2. Mathilde est écolière ?
   a. Oui, en primaire.
   b. Oui, dans une grande école.
3. Ils sont collégiens ?
   a. Non, ils sont lycéens.
   b. Oui, en faculté.
4. Grégoire entre à l'université ?
   a. Oui, puisqu'il va au collège.
   b. Oui, puisqu'il a eu son bac.
5. Hélène est étudiante ?
   a. Oui, au lycée.
   b. Oui, à l'université.

■ Test 4 Complétez.

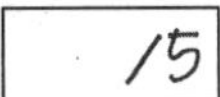

1. Nicolas a 4 ans, il va à l'______________________.
2. Solène a 21 ans, elle est étudiante à l' ______________________.
3. Julien a 7 ans, il est à l'______________________.
4. Delphine a 17 ans, elle est au ______________________.
5. Pierre a 12 ans, il va au ______________________.

Total:
/20

■ Test 1 Retrouvez 10 mots concernant le matériel scolaire (6 horizontalement et 4 verticalement).

/10

B O P R T I N M I D H
F C A R T A B L E Z C
E O R C L I V R E Q L
U S W F F O D S B C A
T R O U S S E T F R S
R U S L R E J Y M A S
E R P A R E G L E Y E
B C A H I E R O Z O U
L A F G O M M E I N R

■ Test 2 Vrai ou faux ?

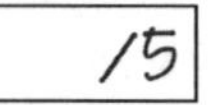

	Vrai	Faux
1. La fin de l'année scolaire est en septembre.	❑	❑
2. Les élèves mangent à la cantine.	❑	❑
3. Le professeur écrit au tableau.	❑	❑
4. Les élèves peuvent jouer pendant les cours.	❑	❑
5. On peut emprunter des livres à la bibliothèque.	❑	❑

■ Test 3 Éliminez l'intrus.

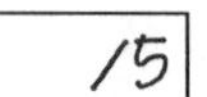

1. crayon / feutre / stylo-bille / stylo-plume
2. cahier / feuilles / classeur / cartable
3. trousse / crayon / gomme / taille-crayon
4. bibliothèque / salle / gymnase / cantine
5. bureau / tableau / cour / table

Total:
/20

V.P.F. PAGE 96

■ Test 1 Complétez par un verbe approprié.

/5

1. Un élève ________________________ sa leçon.
2. Paul ________________________ madame Pinchon en français.
3. La petite Aude ________________________ à écrire à l'école primaire.
4. Benjamin ________________________ maths trois fois par semaine.
5. Isabelle ________________________ la biologie et la physique à la faculté.

■ Test 2 Complétez par « apprend » ou « apprend à ».

/4

1. L'élève ________________________ lire.
2. Le professeur ________________________ le calcul aux élèves.
3. Louis ________________________ sa leçon.
4. Pierre ________________________ calculer aux élèves.

■ Test 3 Éliminez l'intrus.

/5

1. lecture / économie / dictée / orthographe
2. droit / physique / chimie / mathématiques
3. sociologie / médecine / psychologie / philosophie
4. récréation / cantine / élève / sortie
5. lycéen / collège / lycée / école

■ Test 4 Associez (plusieurs solutions sont parfois possibles).

/6

1. physique
2. calcul
3. récréation
4. langue vivante
5. cantine
6. lecture

a. école primaire
b. lycée
c. université

Total:
/20

V.P.F. PAGE 98

■ Test 1 Associez une question et une réponse.

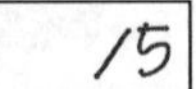

1. Tu as eu combien ?
2. Il est admis ?
3. Tu as manqué un cours ?
4. Tu es bon en maths ?
5. Il est sage ?

a. Non, très mauvais.
b. Non, il bavarde tout le temps.
c. 14/20.
d. Oui, j'étais malade.
e. Non, il est recalé.

■ Test 2 Choisissez la bonne réponse.

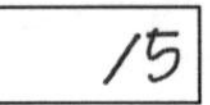

1. Le professeur | donne | fait | des devoirs.
2. L'élève | a | met | une note.
3. L'étudiant | fait | prend | un cours.
4. Le professeur | enseigne | apprend | une matière.
5. L'élève | étudie | interroge | une leçon.

■ Test 3 Choisissez les termes possibles.

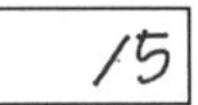

1. Elle | fait | interroge | prend | suit | prépare | un cours.
2. Elle | met | apprend | enseigne | révise | revoit | sa leçon.
3. Il | prend | met | donne | étudie | a | une bonne note.
4. Il | interroge | récite | enseigne | les élèves.
5. Elle | a | révise | fait | suit | donne | des devoirs.

■ Test 4 Répondez par le contraire.

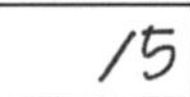

1. Cécile est bonne en chimie ? – Non, elle est ______________________.
2. Charlotte est travailleuse ? – Non, elle est ______________________.
3. Maxime est sage ? – Non, il est ______________________.
4. Joseph est un professeur strict ? – Non, il est ______________________.
5. Alain est attentif, en classe ? – Non, il est ______________________.

Total:
/20

■ Test 1 Donnez le féminin des noms de métier suivants.

/8

1. Un traducteur – Une ____________________
2. Un technicien – Une ____________________
3. Un avocat – Une ____________________
4. Un caissier – Une ____________________
5. Un serveur – Une ____________________
6. Un employé – Une ____________________
7. Un médecin – Une ____________________
8. Un secrétaire – Une ____________________

■ Test 2 Quelle est leur profession ?

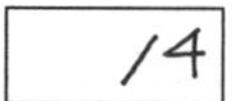

1. ____________________ 2. ____________________

3. ____________________ 4. ____________________

■ Test 3 Associez un nom de profession et une explication.

1. Il est libraire.
2. Il est chirurgien.
3. Elle est chef d'entreprise.
4. Elle est instit*.
5. Il est serveur.
6. Elle est dessinatrice.
7. Il est boucher.
8. Elle est sage-femme.

a. Elle fait des illustrations.
b. Elle travaille dans une école primaire.
c. Il vend de la viande.
d. Il vend des livres.
e. Elle travaille dans un hôpital.
f. Il opère des patients.
g. Elle dirige une société.
h. Il travaille dans un restaurant.

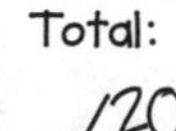

■ Test 1 Vrai ou faux ?

/8

	Vrai	Faux
1. Il est poissonnier, donc il est commerçant.	❑	❑
2. Elle est infirmière dans un hôpital, donc elle est fonctionnaire.	❑	❑
3. Il est écrivain, donc il est artisan.	❑	❑
4. Elle a 70 ans, donc elle est chômeuse.	❑	❑
5. Il est vigneron, donc il est agriculteur.	❑	❑
6. Il est directeur financier, donc il est cadre.	❑	❑
7. Elle a perdu son travail, donc elle est stagiaire.	❑	❑
8. Ils ont 75 ans, donc ils sont retraités.	❑	❑

■ Test 2 Complétez.

/6

1. Une vendeuse travaille dans un ____________ ou une ____________.

2. Le chirurgien travaille à l' ____________________________.

3. L'ouvrier travaille dans une ____________________________.

4. Le dentiste travaille dans son ____________________________.

5. Une secrétaire travaille dans un ____________________________.

6. Un notaire travaille dans une ____________________________.

■ Test 3 Choisissez la bonne réponse.

/6

1. Il est fonctionnaire ?
a. Oui, il travaille au ministère.
b. Non, il est chômeur.

2. Elle est cadre ?
a. Oui, dans une petite boutique.
b. Oui, dans une grande entreprise.

3. Il est employé ?
a. Oui, de bureau.
b. Oui, il est écrivain.

4. Elle est stagiaire ?
a. Oui, elle est au chômage.
b. Oui, dans une société d'informatique.

5. Il est étudiant ?
a. Oui, en entreprise.
b. Oui, à l'université.

6. Il est commerçant ?
a. Oui, il est fleuriste.
b. Oui, dans une banque.

Total:
/20

Test 1 Choisissez la bonne réponse.

/5

1. Vous | exercez | travaillez | dans quoi ?
2. | C'est | Il est | un bon journaliste.
3. Qu'est-ce que vous | faites | avez | comme métier ?
4. Il | est | travaille | comme consultant dans une grande entreprise.
5. Elle | s'occupe | occupe | de lancer de nouveaux projets.

Test 2 Associez, pour constituer une phrase complète.

/5

1. Elle est professeur
2. Il s'occupe
3. Il travaille
4. Il fait
5. Elle est

a. des gardes de nuit dans un supermarché.
b. dans l'informatique.
c. dans un lycée professionnel.
d. comme peintre chez un artisan.
e. de l'organisation de congrès.

Test 3 Ajoutez, *seulement si c'est nécessaire*, « un », « une », « le », « la ».

/5

1. C'est ______________________ professeur de mes enfants.
2. C'est ______________________ médecin qui s'est occupé de moi.
3. Il travaille comme ______________________ réceptionniste.
4. C'est ______________________ très bon dentiste.
5. Elle est ______________________ ingénieur.

Test 4 Complétez par un verbe.

/5

1. Dominique ______________________ un remarquable professeur.
2. Alain ______________________ comme informaticien dans une bibliothèque.
3. Irène ______________________ publiciste.
4. Renaud ______________________ dans l'enseignement. *(2 possibilités)*
5. Bérengère ______________________ d'enfants handicapés.

Total: /20

■ Test 1 Complétez les légendes.

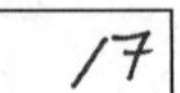

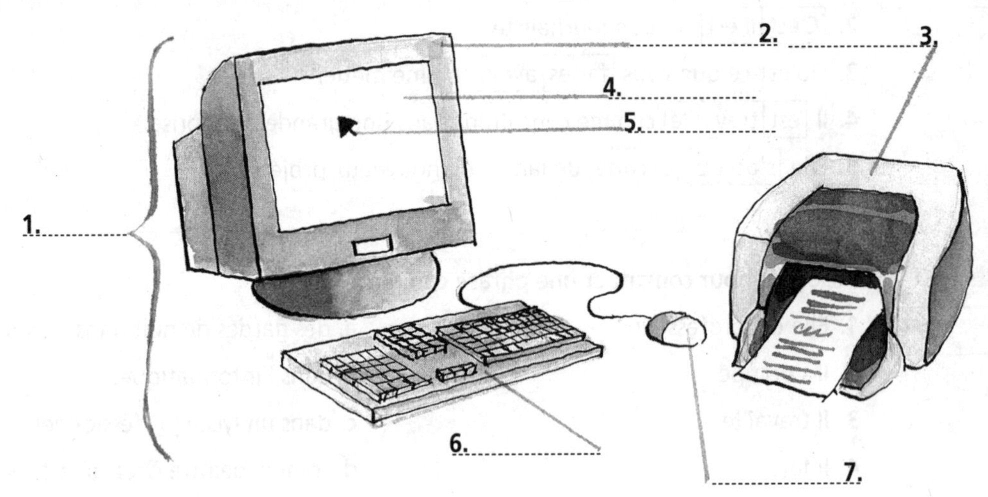

■ Test 2 Répondez par le contraire.

/4

1. Il allume l'ordinateur ? – Non, il l' ____________.
2. Tu fermes un fichier ? – Non, je l' ____________.
3. Elle branche l'ordinateur ? – Non, elle le ____________.
4. Tu sauvegardes des données ? – Non, je les ____________.

■ Test 3 Trouvez un synonyme aux mots soulignés.

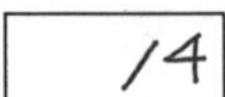

1. J'ai changé de programme. ____________
2. Il interroge une banque de données. ____________
3. Je mets un CD Rom dans l'ordinateur. ____________
4. Il travaille dans l'informatique. ____________

■ Test 4 Choisissez les termes possibles.

/5

1. On peut | brancher | saisir | allumer | éteindre | imprimer | un ordinateur.
2. On | saisit | informatise | enregistre | branche | imprime | un texte.
3. On | efface | débranche | saisit | stocke | éteint | des données.
4. On | informatise | consulte | imprime | interroge | une banque de données.
5. On | copie | sauvegarde | allume | interroge | imprime | un document.

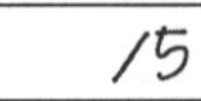

■ Test 1 Associez les phrases de même sens.

/6

1. Ça sonne occupé.
2. Je téléphone à un ami.
3. Je cherche dans le bottin.
4. J'ai envoyé une télécopie.
5. Mon ami ne répond pas.
6. Mon ami décroche.

a. Je cherche un numéro de téléphone.
b. Mon ami répond.
c. Mon ami est déjà au téléphone.
d. Je passe un coup de fil à un ami.
e. J'ai faxé un document.
f. Il n'y a personne.

■ Test 2 Choisissez les termes possibles.

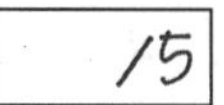

1. J'ai | envoyé | passé | reçu | appelé | un coup de fil.
2. Il a envoyé | un fax | une télécopie | un coup de téléphone |.
3. Elle | compose | décroche | raccroche | tombe | le combiné.
4. Je consulte | l'annuaire | l'indicatif | le bottin | le Minitel |.
5. Sur un téléphone, il y a | une cabine | un combiné | une facture | un clavier |.

■ Test 3 Complétez les légendes.

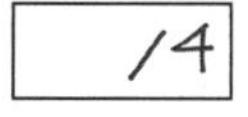

1. ______________ 2. ______________ 3. ______________ 4. ______________

■ Test 4 Complétez.

/5

1. Hortense n'est pas là, j'ai laissé un ______________ sur son ______________.
2. Je cherche son numéro dans l'______________.
3. Tous les deux mois, nous payons notre ______________ de téléphone.
4. Il a reçu un ______________ de fil de ses parents.

Total: /20

■ Test 1 Associez, pour constituer une phrase complète.

/5

1. Il a acheté une chaîne pour
2. Il allume la radio pour
3. Il a un camescope pour
4. Elle a un magnétoscope pour
5. Ils ont un casque pour

a. pouvoir écouter de la musique fort.
b. regarder des cassettes vidéo.
c. écouter des disques compacts.
d. écouter les nouvelles dans sa voiture.
e. filmer ses vacances.

■ Test 2 Vrai ou faux ?

/5

	Vrai	Faux
1. On peut zapper, quand on regarde la télévision.	❑	❑
2. Avec un magnétophone, on peut regarder des cassettes vidéo.	❑	❑
3. On peut avoir plusieurs postes de télévision.	❑	❑
4. Il faut un électrophone pour écouter des disques compacts.	❑	❑
5. Une radio a un écran.	❑	❑

■ Test 3 Trouvez un synonyme aux expressions soulignées.

/5

1. Il a <u>un électrophone</u>. ______________________
2. Ils regardent <u>le journal télévisé</u>. ______________________
3. Il a acheté <u>une caméra vidéo</u>. ______________________
4. Elle a <u>un lecteur de cassettes</u>. ______________________
5. Il a acheté deux <u>haut-parleurs</u>. ______________________

■ Test 4 De quel objet parle-t-on ?

/5

1. Cela permet de monter ou baisser le son à distance. ______________________
2. C'est nécessaire pour jouer à des jeux vidéos. ______________________
3. On appuie dessus pour allumer la télévision. ______________________
4. C'est un tout petit poste de radio. ______________________
5. Il en faut deux de bonne qualité pour obtenir un beau son. ______________________

Total:
/20

■ Test 1 Associez une question et une réponse.

/5

1. Tu veux un thé ?
2. Qu'est-ce que je te sers ?
3. Tu es libre, samedi soir ?
4. Si on allait à la mer, dimanche ?
5. Tu veux que je t'aide ?

a. Oui, c'est une bonne idée !
b. Non merci, ce n'est pas la peine.
c. Oui, je veux bien.
d. Un café, s'il te plaît.
e. Non, désolé, je suis pris.

■ Test 2 Éliminez l'intrus.

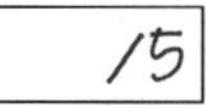

1. Volontiers. / Avec plaisir. / Je vais voir.
2. Que je suis déçu ! / Ce n'est pas la peine ! / Quel dommage !
3. Je suis pris. / Je n'ai rien de prévu. / Je ne suis pas libre.
4. Tant pis ! / Malheureusement, non ! / Ça ne fait rien !
5. Non merci, c'est gentil ! / Rien, merci ! / Oui, c'est vraiment gentil !

■ Test 3 Choisissez la bonne réponse.

1. Ça ne me [dit / fait] rien !
2. Je n'ai rien de [libre / prévu].
3. Ça ne [dit / fait] rien !
4. Non, merci, c'est [dommage / gentil].
5. Quel dommage, je suis [libre / pris], samedi !

■ Test 4 Trouvez une question.

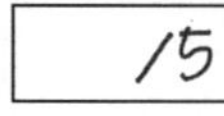

1. ____________________ ? – Non, merci, je viens de prendre du café.
2. ____________________ ? – Oui, c'est vraiment gentil de ta part !
3. ____________________ ? – Non merci !
4. ____________________ ? – Malheureusement, non !
5. ____________________ ? – C'est une bonne idée !

Total: /20

■ Test 1 Remettez le dialogue suivant dans l'ordre.

/5

a. Oui, c'est de la part de qui ?

b. Non merci, je rappellerai plus tard.

c. Ne quittez pas, je vous la passe. (...) Son poste ne répond pas, vous patientez ?

d. Didier Duroy.

e. Allô, bonjour, je voudrais parler à Louise Letellier, s'il vous plaît.

1. ______ **2.** ______ **3.** ______ **4.** ______ **5.** ______

■ Test 2 Trouvez une autre manière de dire.

/5

1. Son poste ne répond pas. ______________________

2. Je voudrais parler à Anne, s'il vous plaît. ______________________

3. Vous avez fait erreur. ______________________

4. Il est en communication. ______________________

5. Vous êtes madame ? ______________________

■ Test 3 Complétez les dialogues.

/10

• Dialogue 1

1. Allô, bonjour, est-ce que je ______________________ parler à Chantal, s'il vous plaît ?

2. Oui, ne ______________________ pas, je vous la ______________________.

3. Je suis désolé, son poste ne ______________________ pas. Vous voulez ______________________ un message ?

4. Non merci, je la ______________________ plus tard.

• Dialogue 2

5. Allô, je suis ______________________ chez madame Grangier ?

6. Ah non, monsieur, vous vous êtes ______________________ de numéro.

• Dialogue 3

7. Est-ce que monsieur Sougnac a vos ______________________ ?

8. Non, il peut me ______________________ au 01 45 87 00 00.

Total:
/20

■ Test 1 Choisissez la bonne réponse.

/5

1. Je | pose | demande | une question à mon professeur.
2. Il | dit | donne | une explication.
3. Ils ont | pris | dit | la vérité.
4. J'ai | eu | pris | un entretien avec le directeur.
5. Ils ont | bavardé | menti | une heure au téléphone !

■ Test 2 Associez, pour constituer une phrase complète.

/10

1. Il ne dit pas la vérité, il
2. Elle ne connaît pas le sujet de
3. Il ne dit rien, il
4. Ils ont pris
5. Elle raconte
6. Ils apportent
7. Ils ont eu
8. Je ne comprends pas
9. Nous avons parlé
10. Elles ont bavardé

a. un entretien important.
b. dans la rue.
c. une explication très claire.
d. ment.
e. sa réponse.
f. la conversation.
g. des nouveaux projets.
h. se tait.
i. des histoires à son fils.
j. un rendez-vous.

■ Test 3 Complétez par un verbe.

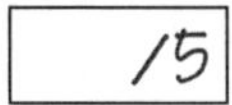

1. Quentin ______________________ une question à Fabrice.
2. Fabrice ______________________ à la question.
3. Quentin ne ______________________ pas la réponse de Fabrice.
4. Fabrice ______________________ sa réponse à Quentin.
5. Pendant ce temps, Cécile ne dit rien, elle se ______________________.

Total:
/20

■ Test 1

/7

Associez les phrases de même sens.

1. Je suis d'accord avec toi.
2. Je crois que c'est une bonne idée.
3. Je voudrais avoir ton opinion.
4. J'ai l'impression que c'est une bonne idée.
5. Je suis sûr que c'est une bonne idée.
6. D'après toi, c'est une bonne idée ?
7. C'est une bonne idée, n'est-ce pas ?

a. Quel est ton point de vue ?
b. À ton avis, c'est une bonne idée ?
c. C'est une bonne idée, non ?
d. Je suis certain que c'est une bonne idée.
e. Je pense que c'est une bonne idée.
f. Il me semble que c'est une bonne idée.
g. Tu as raison.

■ Test 2

/6

Vrai ou faux ?

	Vrai	Faux
1. Il me coupe la parole. = Il m'interrompt.	❑	❑
2. Je ne suis pas d'accord avec toi. = Je ne connais pas ton point de vue.	❑	❑
3. Tu as tort. = Je suis de ton avis.	❑	❑
4. Ils prennent la parole. = Ils interviennent.	❑	❑
5. J'ai l'impression qu'il est là. = Je suis certain qu'il est là.	❑	❑
6. Il a la parole. = Il est en train de parler.	❑	❑

■ Test 3

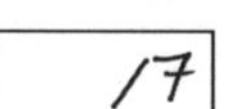

Choisissez le(s) terme(s) possible(s).

1. Vous | pensez | croyez | connaissez | ?
2. Je | suis | ai | connais | d'accord avec lui.
3. J'aimerais | être | prendre | avoir | connaître | ton avis sur ce sujet.
4. Il | croit | prend | demande | est | a | la parole.
5. Elle | a | développe | expose | semble | croit | ses arguments.
6. Je | crois | semble | pense | que c'est intéressant.
7. Ils | sont | ont | pensent | raison.

Total:
/20

Test 1 Complétez.

/6

1. Il ______________________ d'une grande générosité.
2. ______________________ quelqu'un d'intelligent.
3. Il______________________ bon caractère.
4. Elle ______________________ une forte personnalité.
5. Il ______________________ de la patience.
6. Ils ______________________ le sens de l'humour.

Test 2 Associez les phrases de sens équivalent.

/6

1. Il est d'une grande patience.
2. Il n'est pas patient.
3. Elle n'est pas idiote du tout.
4. Elle n'est pas antipathique.
5. Il est d'une grande maladresse.
6. Elle est d'une bêtise !

a. Il est maladroit comme tout.
b. Elle n'est vraiment pas intelligente.
c. Il est très patient.
d. Elle est assez intelligente.
e. Il est impatient.
f. Elle est assez sympa.

Test 3 Trouvez le nom qui correspond aux adjectifs suivants.

/8

1. patient ______________________
2. timide ______________________
3. bête ______________________
4. cultivé ______________________
5. maladroit ______________________
6. paresseux ______________________
7. calme ______________________
8. distrait ______________________

Total:
/20

Test 1 Vrai ou faux ?

/6

	Vrai	Faux
1. Il est bavard. = Il est très réservé.	❑	❑
2. Il est ennuyeux. = Il n'est pas ouvert.	❑	❑
3. Elle est profonde. = Elle n'est pas superficielle.	❑	❑
4. Il est hypocrite. = Il n'est pas franc.	❑	❑
5. Il est bon comme le pain. = Il est généreux.	❑	❑
6. Elle est chouette. = Elle n'est pas très sympa.	❑	❑

Test 2 Répondez en utilisant l'adjectif approprié.

/8

1. Elle voit le bon côté des choses ? – Oui, elle est ______________________.

2. Elle parle beaucoup ? – Oui, elle est ______________________.

3. Il donne facilement ? – Oui, il est très ______________________.

4. Il est nerveux ? – Non, au contraire, il est______________________.

5. Il est intelligent ? – Non, au contraire, il est______________________.

6. Elle est froide ? – Non, au contraire, elle est ______________________.

7. Il travaille beaucoup ? – Oui, il est ______________________.

8. Il est profond ? – Non, au contraire, il est______________________.

Test 3 Trouvez le contraire des adjectifs suivants.

/6

1. franc ______________________

2. froid ______________________

3. nerveux ______________________

4. intéressant ______________________

5. réservé ______________________

6. égoïste ______________________

Total:
/20

■ Test 1 Choisissez la bonne réponse.

/6

1. Il y a | 10 | 100 | centimes dans un euro.
2. Je | fais | prends | l'appoint.
3. La caissière | donne | rend | la monnaie.
4. J'ai deux | pièces | billets | de 0,50 €.
5. Il est riche, il | fait | a | de l'argent.
6. Je paye en | espèces | argent |.

■ Test 2 Complétez.

/8

1. Je mets les pièces dans mon ____________________-____________________.
2. Désolé, je n'ai pas la _______________, j'ai seulement un _______________ de 50 €.
3. J'ai besoin de deux pièces d'1 €, je vais faire de la ____________________.
4. Il a mis ses billets dans son ____________________.
5. Ils ne sont pas pauvres, ils ont de ____________________.
6. Ça coûte 8,07 € et je donne 8,07 € à la vendeuse, je fais ____________________.
7. L'ancienne monnaie française était ____________________.

■ Test 3 Éliminez l'intrus.

/6

1. monnaie / appoint / argent
2. paiement / espèces / règlement
3. pièces / espèces / liquide
4. billets / centimes / pièces
5. euro / billet / dollar
6. portefeuille / porte-monnaie / monnaie

Total:
/20

■ Test 1 Remplissez les chèques suivants.

/6

Crédit du Livre et de l'Edition

payez contre ce chèque

à

A :
LE :

Crédit du Livre et de l'Edition

payez contre ce chèque

à

A :
LE

1. Vous faites un chèque de 197,14 € à l'ordre des Galeries Lafayette, à Paris, le 3 janvier.
2. Vous faites un chèque de 71,53 € à l'ordre du restaurant « L'Alsace », à Strasbourg, le 18 décembre.

■ Test 2 Remettez dans l'ordre les opérations suivantes, qui permettent de prendre de l'argent au distributeur.

/8

a. Elle choisit le montant.

b. Elle compose son code secret.

c. Elle arrive au distributeur.

d. Elle les met dans son portefeuille.

e. Elle introduit sa carte.

f. Elle prend ses billets.

g. Elle valide son code secret.

h. Elle retire sa carte.

1. ____ 2. ____ 3. ____ 4. ____ 5. ____ 6. ____ 7. ____ 8. ____

■ Test 3 Choisissez la bonne réponse.

1. Il fait | écrit un chèque.
2. Nous voulons retirer | tirer de l'argent.
3. Elle compose | remplit un chèque.
4. On doit toujours valider | signer le chèque.
5. Elle paye | libelle le chèque à l'ordre de la boucherie Lecroc.
6. Tu dois apprendre | composer ton code secret sur la machine.

Total: /20

■ Test 1 Associez les phrases de sens équivalent.

/5

1. Il a un carnet de chèques.
2. Il économise de l'argent.
3. Il touche des intérêts.
4. Il doit de l'argent.
5. Son compte est à découvert.

a. Il a des dettes.
b. Il a un chéquier.
c. Son compte est débiteur.
d. Il a un compte d'épargne.
e. Il met de l'argent de côté.

■ Test 2 Choisissez la bonne réponse.

/5

1. Elle [fait | met] un emprunt à la banque.
2. Il met de l'argent [à | de] côté.
3. Elle ouvre un compte [courant | comptant].
4. Ils reçoivent [l'emprunt | le relevé] de compte.
5. Elle achète [sur | à] crédit.

■ Test 3 Choisissez la bonne réponse.

/5

1. Son compte est à découvert ?
   a. Oui, il a acheté à crédit.
   b. Oui, son compte est débiteur.
2. Elle a des dettes ?
   a. Non, elle a tout remboursé.
   b. Non, elle a tout dépensé.
3. Tu mets de l'argent de côté ?
   a. Oui, j'ai un compte courant.
   b. Oui, j'ai un compte d'épargne.
4. Ils ont payé comptant ?
   a. Non, par virement.
   b. Non, à crédit.
5. Tu fais tes comptes ?
   a. Oui, j'ai reçu mon relevé.
   b. Oui, j'ai reçu mon chéquier.

■ Test 4 Complétez.

/5

1. On peut épargner, ou, au contraire, ________________________ de l'argent.
2. Votre compte peut être créditeur ou, au contraire, ________________________.
3. Si vous devez de l'argent à quelqu'un, vous avez des ________________________.
4. La banque envoie tous les mois un ________________________.
5. Si vous avez un crédit, vous devez ________________________ l'emprunt.

Total: /20

■ Test 1 Éliminez l'intrus.

/6

1. économiser / verser / épargner
2. dépensier / radin / avare
3. revenu / impôts / salaire
4. alimenter / approvisionner / emprunter
5. débiteur / créditeur / courant
6. gagner / dépenser / percevoir

■ Test 2 Vrai ou faux ?

/5

	Vrai	Faux
1. Il est radin. = Il n'est pas généreux.	❑	❑
2. Il roule sur l'or. = Il est avare.	❑	❑
3. Il jette l'argent par les fenêtres. = Il est trop dépensier.	❑	❑
4. Il est fauché. = Il n'a pas un sou.	❑	❑
5. Il est aisé. = Il a de petits moyens.	❑	❑

■ Test 3 Complétez par un verbe approprié.

/5

1. Nous ______________________ de l'argent tous les mois pour pouvoir acheter une maison, un jour.
2. Je n'______________________ pas les moyens d'acheter cet appartement.
3. Dans ma société, on ______________________ les bénéfices entre les employés.
4. Mon ami m'a gentiment ______________________ 100 € pour me rendre service.
5. Il est urgent que j'______________________ mon compte, il est à découvert.

■ Test 4 Complétez par une expression familière.

/4

1. Ils n'ont pas d'argent, ils sont ______________________.
2. Il ne dépense pas son argent, il est ______________________.
3. Elle a beaucoup d'argent, elle ______________________.
4. Elle achète trop et inutilement, elle ______________________ ______________________.

Total: /20

■ Test 1 — Dans quel commerce doit-on aller pour acheter...

/8

1. de l'agneau ? ______________________
2. du pain ? ______________________
3. du lait ? ______________________
4. des tomates ? ______________________
5. du saucisson ? ______________________
6. du brie ? ______________________
7. du muscat ? ______________________
8. des huîtres ? ______________________

■ Test 2 — Vrai ou faux ?

/7

	Vrai	Faux
1. Une entrecôte est un morceau de bœuf.	❑	❑
2. Le jambon peut être cru.	❑	❑
3. La baguette est un gâteau.	❑	❑
4. Le crabe est un poisson.	❑	❑
5. Le gigot est un morceau d'agneau.	❑	❑
6. L'escalope est un fruit de mer.	❑	❑
7. Le brie est un fromage.	❑	❑

■ Test 3 — Choisissez les termes possibles.

/5

1. Il achète de la viande, c'est-à-dire | un gigot | du jambon | des bonbons | des moules | un rôti |.
2. Je voudrais du poisson : | des huîtres | un homard | une truite | un muscat | une escalope | du saumon |.
3. Je vais à la boulangerie acheter | du pain de campagne | un croissant | du cantal | une baguette | un camembert | une brioche |.
4. Ils vont chez le charcutier pour acheter | un saucisson | une entrecôte | du jambon | des crevettes |.
5. À l'épicerie, j'achète | du lait | de l'huile | une dinde | un gigot | de l'eau minérale |.

Total : /20

■ Test 1 Associez un produit et un commerce.

/7

1. Un dictionnaire.
2. Des bottes.
3. Un cahier.
4. Un bouquet.
5. Un médicament.
6. Un billet de Loto.
7. Une eau de toilette.

a. La pharmacie.
b. Le bureau de tabac.
c. Le marchand de chaussures.
d. La parfumerie.
e. Le fleuriste.
f. La papeterie.
g. La librairie.

■ Test 2 Complétez par le nom du commerce.

/5

1. Elle va chez le ______________________ pour se faire faire une permanente.
2. Je dois passer au ______________________ pour donner une veste à nettoyer.
3. Tu peux aller chez le ____________ ____________ ____________, pour m'acheter *Elle, Géo* et *Le Figaro* ?
4. Il veut offrir un beau bijou à sa femme, il doit aller dans une ____________________.
5. Nous devons passer chez le ____________________ pour acheter un beau bouquet.

■ Test 3 Retrouvez le nom de 8 commerces (4 horizontalement et 4 verticalement).

H L V T T U M F J P D T F
X I S Y V J Q L O A L P W
D B I J O U T E R I E A P
N R B K J R S U I E A R H
F A C G A U O R L U C F A
V I N R S C O I F F E U R
Z R U T R A I S H O R M M
P I L P A P E T E R I E A
Y E I D I F D E J R L R C
T E I N T U R E R I E I I
N O I F C A L E E Q O E E

Total:
/20

21 ■ COMMERCES – COMMERÇANTS

■ Test 1 Choisissez la bonne réponse.

/7

1. | Une botte | Un paquet | de radis.
2. | Un pot | Un flacon | de moutarde.
3. | Une boîte | Une barquette | de fraises.
4. | Un pot | Un tube | de dentifrice.
5. | Une bouteille | Un flacon | de parfum.
6. | Un morceau | Une tranche | de jambon.
7. | Une plaque | Un sac | de chocolat.

■ Test 2 Complétez.

/8

1. Je cherche le ______________________ « vêtements pour enfants ».
2. Demandez à un ______________________, là-bas.
3. Les Galeries Lafayette sont un ____________________ ____________________.
4. Je n'arrive pas à lire le prix sur l'______________________.
5. Il va régler ses achats à la ______________________.
6. Dans les rues, on peut admirer les belles ______________________ des magasins.
7. Il a acheté un joli stylo pour l'offrir à sa femme, il demande un ____________________
   – ______________________ à la vendeuse.
8. Tout ce qu'elle a acheté est trop lourd, elle va demander une ____________________ à domicile.

■ Test 3 Complétez les légendes.

/5

1.____________

3.____________

5.____________

2.____________

4.____________

Total:
/20

■ Test 1 Associez les phrases de même sens.

/6

1. Je voudrais des pommes.
2. C'est donné.
3. Je voudrais une livre de pommes.
4. Ce n'est pas donné.
5. Les pommes sont à combien ?
6. C'est raisonnable.

a. Ça ne coûte pas trop cher.
b. Les pommes font combien ?
c. Ça coûte les yeux de la tête.
d. Il me faudrait des pommes.
e. Vous pouvez me donner 500 g de pommes ?
f. Ça ne coûte rien.

■ Test 2 Complétez par un verbe.

/6

1. Vous n'____________________ pas de pains au chocolat ?
2. Je vous ____________________ combien ?
3. Ça ____________________ une fortune.
4. Il me ____________________ des enveloppes blanches.
5. Vous ____________________ me donner un kilo de courgettes, s'il vous plaît ?
6. Je ____________________ une tarte aux fraises, s'il vous plaît.

■ Test 3 Trouvez une autre manière de dire.

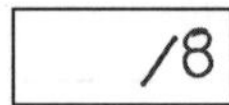

1. 250 g ____________________
2. Environ 10 ____________________
3. 500 g ____________________
4. 100 cl ____________________
5. 1 000 g ____________________
6. 50 cl ____________________
7. Environ 12 ____________________
8. 25 cl ____________________

Total: /20

■ Test 1 Complétez les mots croisés suivants concernant des ustensiles.

/10

Horizontalement :

1. Pour peser.
2. Pour faire de la crème fouettée.
3. Pour faire chauffer du lait, par exemple.
4. Pour faire une tarte, un gâteau…
5. Pour servir la soupe.

Verticalement :

a. Pour apporter des verres, des assiettes…
b. Pour servir un poisson, une viande…
c. Pour égoutter des légumes, des pâtes…
d. Pour servir la salade.
e. Pour faire une omelette, un steak…

■ Test 2 Donnez le nom des objets suivants.

/5

1. ______________ ______________
2. ______________ ______________
3. ______________ ______________
4. ______________ ______________
5. ______________ ______________

■ Test 3 Complétez.

/5

1. Véronique aime les bonnes choses, elle est ______________________.
2. Je cherche une bonne ______________ dans un de mes livres de ______________.
3. Pierre est un bon ______________________, il fait bien la ______________________.

Total: /20

■ Test 1 Vrai ou faux ?

/5

	Vrai	Faux
1. Une tartine est un gâteau.	❑	❑
2. On peut boire du café dans un bol.	❑	❑
3. On goûte vers 13 heures.	❑	❑
4. Le yaourt est un dessert.	❑	❑
5. Le potage est un dessert.	❑	❑

■ Test 2 Éliminez l'intrus.

/7

1. tartine / croissant / baguette
2. tasse / bol / assiette
3. confiture / croissant / brioche
4. serviette / couverts / nappe
5. bouteille / bouchon / cendrier
6. couteau / assiette / cuiller
7. serviette / carafe / bouteille

■ Test 3 De quoi parle-t-on ?

/8

1. Elle peut être plate ou creuse. – Une ______________________.
2. Cela sert à déboucher les bouteilles. – Un __________-__________.
3. On y met l'eau du robinet. – Une ______________________.
4. C'est l'ensemble fourchette-couteau-cuiller. – Des ______________________.
5. On la place sur la table pour décorer. – Une ______________________.
6. On pose un plat chaud dessus. – Un __________-____ - __________.
______________________.
7. On y met le sel. – Une ______________________.
8. Il ferme la bouteille. – Un ______________________.

Total:
/20

Test 1 Vrai ou faux ?

/7

	Vrai	Faux
1. L'eau minérale est servie en carafe.	❑	❑
2. Le service est compris dans l'addition.	❑	❑
3. On ne peut jamais boire de l'eau du robinet.	❑	❑
4. Si on invite quelqu'un au restaurant, on doit régler l'addition.	❑	❑
5. En général, on laisse un pourboire au restaurant.	❑	❑
6. Les Français boivent souvent un thé à la fin des repas.	❑	❑
7. L'eau minérale n'est pas potable.	❑	❑

Test 2 Éliminez l'intrus.

/5

1. serveur / client / maître d'hôtel / gastronome
2. carte / sortie / menu / addition
3. verveine / menthe / thé / café
4. amuse-gueule / digestif / vin / apéritif
5. addition / carte / pourboire / service

Test 3 Complétez.

/8

1. C'est le ______________________ qui prend la commande au restaurant.
2. Avec l'apéritif, on sert des ______________________-______________________.
3. Le ______________________ est compris dans le prix.
4. La serveuse sert les ______________________.
5. Au restaurant, à la fin du repas, on paye ______________________.
6. La verveine est une ______________________.
7. L'eau du robinet est en général ______________________.
8. On mange des crêpes dans une ______________________.

Total:
/20

■ Test 1 Associez.

/4

1. thé
2. quiche
3. verveine
4. croque-monsieur
5. demi
6. crudités
7. menthe
8. déca

a. plat
b. boisson

■ Test 2 Trouvez l'adjectif approprié.

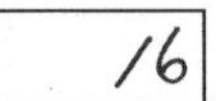

1. Il y a trop de sel dans ce plat, ce plat est trop ______________________.
2. Il y a trop de crème, c'est trop ______________________.
3. Ce plat donne envie de le manger, il est très ______________________.
4. Il y a beaucoup de poivre et de piment, c'est très ______________________.
5. Les portions sont grandes, les plats sont ______________________.
6. Ce plat n'a pas de goût, il est ______________________.

■ Test 3 Choisissez la bonne réponse.

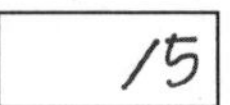

1. Le café-crème | Le déca n'a pas de caféine.
2. Le demi | L'infusion est un verre de bière.
3. Les pommes de terre | Les carottes sont dans l'assiette de crudités.
4. Il existe des sandwichs au fromage | au chocolat.
5. La verveine | Le thé se boit parfois au lait.

■ Test 4 Associez, pour constituer une phrase complète.

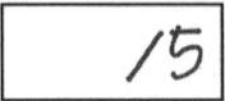

1. Je ne vais pas prendre ce plat en sauce, c'est
2. Le dîner a l'air bon, c'est
3. Le plat est vraiment trop épicé, il est
4. C'est délicieux, je
5. Ce plat n'a pas de goût, il est

a. me régale.
b. trop fort.
c. trop lourd.
d. trop fade.
e. appétissant.

Total: /20

Test 1 Associez, pour constituer une phrase complète.

/5

1. Ils jouent aux
2. Il emmène
3. Les jeunes sortent
4. Samedi dernier, nous avons fait
5. Elle veut aller

a. en boîte.
b. se promener.
c. la fête.
d. cartes.
e. les enfants au cinéma.

Test 2 Complétez par un verbe approprié.

/10

1. J'aime beaucoup ______________________ du lèche-vitrines.
2. Ils ______________________ souvent au cinéma.
3. Elle ______________________ les enfants au zoo.
4. Les jeunes aiment ______________________ en boîte.
5. Les amis ______________________ aux cartes.
6. Ils ______________________ une partie de cartes.
7. Elle ______________________ du tricot.
8. Son mari ______________________ du bricolage.
9. Ils ______________________ la fête tous les samedis.
10. Les enfants ______________________ avec des jouets.

Test 3 Que font-ils ?

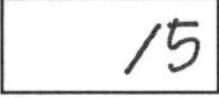

Total: /20

1.____________ 2.____________ 3.____________ 4.____________ 5.____________

■ Test 1 Choisissez la bonne réponse.

/6

1. Il a gagné [le match | le court].
2. Elle participe à [une médaille | une compétition].
3. Il y a beaucoup de [raquettes | courts] de tennis dans ce quartier.
4. Elle [tient | détient] le record du monde.
5. Ils [ont disputé | se sont disputés] un match.
6. Elle a [battu | gagné] le record du monde.

■ Test 2 Trouvez la question.

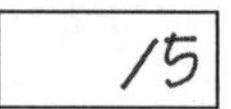

1. ______________________________ ? – Oui, je suis sportif.
2. ______________________________ ? – Non, je suis amateur.
3. ______________________________ ? – Oui, je pratique le jogging et le tennis.
4. ______________________________ ? – Non, je ne fais partie d'aucun club.
5. ______________________________ ? – Je m'entraîne trois fois par semaine.

■ Test 3 Éliminez l'intrus.

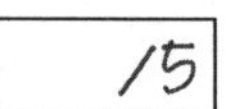

1. raquette / match / balle
2. champion / compétition / amateur
3. coupe / match / tournoi
4. ping-pong / compétition / tennis
5. court / squash / filet

■ Test 4 Complétez les légendes.

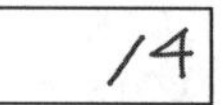

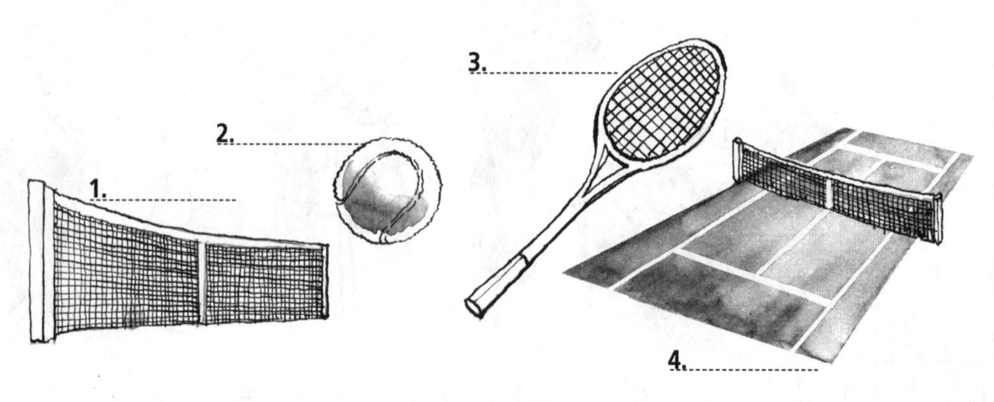

Total:
/20

■ Test 1 Associez, pour constituer une phrase complète.

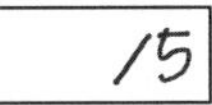

1. Il participe aux Jeux olympiques, car	**a.** sur les gradins.
2. Le cavalier monte	**b.** d'une équipe.
3. L'arbitre contrôle	**c.** c'est un athlète.
4. Les supporters sont assis	**d.** à cheval.
5. Les joueurs font partie	**e.** le respect des règles du jeu.

■ Test 2 Éliminez l'intrus.

/5

1. cheval / manège / gradins
2. rallye / course à pied / concours
3. stade / buts / gradins
4. joueur / coureur / arbitre
5. cavalier / gardien de but / joueur

■ Test 3 Complétez.

/6

1. Les joueurs doivent ______________________ les règles du jeu.
2. Le cavalier ______________________ à cheval.
3. Le coureur automobile ______________________ une voiture de course.
4. Le footballeur ______________________ deux buts.
5. L'équipe ______________________ deux buts à un.
6. Le cycliste ______________________.

■ Test 4 Que font-ils ?

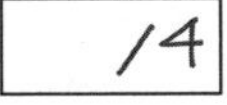

Total: /20

1. ______________ **2.** ______________ **3.** ______________ **4.** ______________

■ **Test 1** **Comment appelle-t-on quelqu'un qui fait...**

/5

1. de la natation ? ____________________
2. de la randonnée ? ____________________
3. de l'alpinisme ? ____________________
4. du patin à glace ? ____________________
5. du ski ? ____________________

■ **Test 2** **Éliminez l'intrus.**

/5

1. natation / patin / voile
2. randonneur / alpiniste / boxeur
3. escalade / musculation / gym
4. patineur / nageur / skieur
5. luge / judo / ski

■ **Test 3** **Complétez.**

/5

1. On fait du ski sur des ____________________ noires, rouges, bleues...
2. On fait du patinage sur la ____________________.
3. On dispute un match de boxe sur un ____________________.
4. En ville, on peut faire de la natation à la ____________________.
5. On fait de l'alpinisme à la ____________________.

■ **Test 4** **Associez une phrase et un sport.**

/5

1. Il descend une piste.
2. Il nage bien.
3. Il prend un remonte-pentes.
4. Il va à la piscine tous les jours.
5. Il connaît toutes les stations de sports d'hiver.

a. ski
b. natation

Total:
/20

■ Test 1 Complétez.

/10

1. On prend le train à la ______________________.
2. Il y a beaucoup de ______________________ dans le train.
3. On attend le train sur le ______________________ de la gare.
4. On peut acheter un aller simple ou un ______________-______________.
5. Je consulte les ______________________ de trains sur Internet.
6. Si vous n'avez pas de ______________, vous devrez payer une ______________.
7. C'est le ______________________ qui vérifie les billets de train.
8. On peut voyager en première ou en ______________________ classe.
9. Je réserve une ______________________ dans le train.

■ Test 2 Remettez les phrases dans l'ordre chronologique.

/6

a. Il arrive à la gare.
b. Il consulte les horaires sur Internet.
c. Il monte dans le train.
d. Il attend le train sur le quai.
e. Il prend son billet à la gare.
f. Il composte son billet.

1. ____ 2. ____ 3. ____ 4. ____ 5. ____ 6. ____

■ Test 3 Que font-ils ?

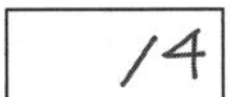

ACCÈS AUX QUAIS ↓

1. ______________ 2. ______________ 3. ______________ 4. ______________

Total: /20

■ Test 1 Choisissez la bonne réponse.

/5

1. On monte [à | sur le] bord d'un avion.
2. Les avions ont [une équipe | un équipage].
3. On achète un [billet | ticket] d'avion.
4. On attend [l'avion | le bateau] sur le quai.
5. On embarque dans un [bus | avion].

■ Test 2 Éliminez l'intrus.

/5

1. port / aéroport / pont / traversée
2. ticket / billet / piste / vol
3. décollage / quai / atterrissage / embarquement
4. correspondance / embarquement / changement / station
5. passagers / bateau / ligne / équipage

■ Test 3 De quoi ou de qui parle-t-on ?

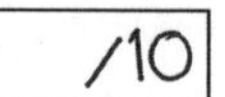

1. C'est là qu'on prend l'avion. ______________________
2. Il peut être souterrain ou aérien. ______________________
3. C'est là qu'on attend le bus. ______________________
4. C'est là que l'avion décolle. ______________________
5. C'est de là que le bateau part. ______________________
6. C'est l'ensemble du personnel de l'avion. ______________________
7. Ce sont les moments de la journée où il y a le plus de monde. ______________________
8. Ce sont 10 tickets de métro. ______________________
9. C'est là qu'on attend le train ou le métro. ______________________
10. C'est le nom d'un trajet en bateau. ______________________

Total:
/20

■ Test 1 Complétez les légendes.

/4

① ② ③ ④ ⑤ ⑥ ⑦ ⑧

1. ______________ 2. ______________ 3. ______________ 4. ______________

5. ______________ 6. ______________ 7. ______________ 8. ______________

■ Test 2 Répondez par le contraire.

/5

1. Il recule ? – Non, au contraire, ______________.
2. Il met le moteur en marche ? – Non, au contraire, ______________.
3. Elle accélère ? – Non, au contraire, ______________.
4. La voiture marche bien ? – Non, au contraire, ______________.
5. Elle sort sa voiture du garage ? – Non, au contraire, ______________.

■ Test 3 Complétez.

/7

1. Il appuie sur la ______________ de frein.
2. Il doit prendre de l'essence à la ______________-______________.
3. Légalement, on doit avoir le ______________ pour pouvoir conduire.
4. Il fait nuit, elle allume les ______________ de la voiture.
5. Tous les 10 000 km, il faut faire une ______________.
6. Les conducteurs de deux-roues doivent porter un ______________ sur la tête.
7. Avant de démarrer, le conducteur attache sa ______________.

■ Test 4 De quel mode de transport parle-t-on ?

/4

1. Ça sert à transporter des marchandises. ______________
2. Il a deux roues et est très à la mode aux Pays-Bas. ______________
3. Elle a deux roues, un moteur, et est assez puissante. ______________
4. Il a deux roues et un moteur, et il est très utilisé en ville. ______________

Total: /20

■ Test 1 Vrai ou faux ?

/8

	Vrai	Faux
1. La rue est en sens unique. = Elle n'est pas à double sens.	❑	❑
2. On paye une amende. = On paye une contravention.	❑	❑
3. Paul double la voiture. = Paul dépasse la voiture.	❑	❑
4. On peut garer sa voiture ici. = Le stationnement est interdit ici.	❑	❑
5. Il y a des bouchons sur la route. = Il y a beaucoup de parkings.	❑	❑
6. L'autoroute est à péage. = On doit payer pour l'emprunter.	❑	❑
7. Ça roule mal. = Il y a beaucoup d'agents de la circulation.	❑	❑
8. Le stationnement est gratuit. = Le stationnement n'est pas payant.	❑	❑

■ Test 2 Complétez par un verbe approprié.

/7

1. Vous ______________________ la deuxième rue à gauche.

2. Vous ______________________ la rue au passage piétons.

3. Vous ______________________ tout droit.

4. Vous ______________________ votre voiture au parking.

5. Vous ______________________ une voiture trop lente.

6. Vous ______________________ les limitations de vitesse.

7. Vous ______________________ à droite.

■ Test 3 De quoi parle-t-on ?

/5

1. C'est là que les piétons traversent. ______________________

2. Les voitures s'y arrêtent quand il est rouge. ______________________

3. Il y en a beaucoup sur les routes de montagne. ______________________

4. C'est là que les piétons marchent. ______________________

5. Ça arrive quand il y a beaucoup trop de voitures au même moment. ______________________

Total:
/20

■ Test 1 Associez, pour constituer une phrase complète.

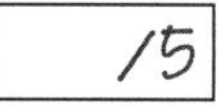

1. Il fait	**a.** en colonie de vacances.
2. J'ai payé	**b.** la frontière.
3. Nous avons installé la tente	**c.** ses valises.
4. Mes enfants partent	**d.** des arrhes à l'hôtel.
5. Ils n'ont pas passé	**e.** sur un terrain de camping.

■ Test 2 Choisissez le(s) terme(s) possible(s).

/5

1. Je | vais | prends | fais | suis | à l'hôtel.

2. Nous prenons | un voyage | des photos | à pied | une chambre |.

3. Ils voyagent | en colonie de vacances | à l'hôtel | en auto-stop | à pied |.

4. Elle fait | sa valise | un hôtel | du camping | un club de vacances |.

5. J'emporte | une carte | une auberge | un plan | une chambre d'hôte |.

■ Test 3 Complétez par un verbe approprié.

/6

1. Elle _______________ ses valises avant de partir.

2. Ils _______________ la frontière.

3. Il _______________ de l'argent au bureau de change.

4. Il est plus commode de _______________ une chambre d'hôtel avant le départ.

5. Nous _______________ en voyage mardi.

6. Ils _______________ à l'hôtel. *(2 possibilités)*

■ Test 4 Que font-ils ?

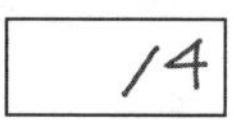

1. _______________ **2.** _______________

Total: /20

■ Test 1 Éliminez l'intrus.

/5

1. valise / sac / parasol / bagage
2. carte postale / bouée / souvenir / photo
3. coquillage / sable / bouée / congés
4. vagues / congés / tourisme / vacances
5. bain de soleil / coups de soleil / bronzage / crème solaire

■ Test 2 Choisissez la bonne réponse.

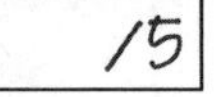

1. Mes voisins sont en [congés | tourisme].
2. J'aime beaucoup prendre des bains [solaires | de soleil].
3. Les enfants doivent porter des [bouées | coquillages].
4. Ils ont une résidence [de campagne | secondaire].
5. J'ai mis mes affaires dans mon sac de [toilette | voyage].

■ Test 3 Complétez par un verbe.

/5

1. Au retour du voyage, il faut ______________________ les valises.
2. Les enfants ______________________ des coquillages sur la plage.
3. Ils ______________________ aussi des châteaux de sable.
4. La mer est parfois dangereuse, on risque de se ______________________.
5. Mes amis ______________________ en vacances en Bretagne.

■ Test 4 De quoi parle-t-on ?

/5

1. C'est ce qu'on plante sur la plage pour se protéger du soleil. Un ______________.
2. Si elles sont très hautes, la mer devient dangereuse. Les ______________.
3. On la met sur le corps pour se protéger du soleil. La __________ __________.
4. Les enfants aiment beaucoup en ramasser sur la plage. Les ______________.
5. C'est un sport nautique très à la mode en France. La __________ __________ __________.

Total:
/20

■ Test 1 Associez, pour constituer une phrase complète.

/5

1. Ils vont faire un voyage en bateau, une belle
2. Elle aime marcher, elle fait de la
3. Il adore voyager, se sentir
4. Pour préparer son voyage, elle a acheté un
5. Ils aiment faire des

a. dépaysé.
b. guide touristique.
c. excursions.
d. randonnée.
e. croisière.

■ Test 2 Choisissez la bonne réponse.

/5

1. Ils ont visité le pays de long en | large | court |.
2. Elle a fait une | randonnée | croisière | en montagne.
3. Mes parents sont partis en voyage | exotique | organisé |.
4. Il a fait le | circuit | tour | du pays.
5. Elle est fatiguée et stressée, elle doit se | détendre | renseigner |.

■ Test 3 Complétez par un verbe.

/5

1. Il est important de ______________________ quand on est fatigué.
2. J'ai besoin de me ______________________ les idées.
3. Vous devez vous ______________________ auprès d'une agence de voyages.
4. Quand est-ce que vous ______________________ en vacances ?
5. Nous avons ______________________ le tour du pays en voiture.

■ Test 4 Trouvez l'expression imagée correspondant aux situations suivantes.

/5

1. Il est perdu devant le plus petit problème. ______________________
2. Les problèmes ne sont pas finis… ______________________
3. Elle était agressive et n'a même pas répondu à ma question ! ______________________
4. C'est important pour un jeune de voyager. ______________________
5. Ils m'ont raconté toutes sortes d'histoires complètement fausses. ______________________

Total:
/20

CORRIGÉS

Chapitre 1 Présentations et usages

Page 4

Test 1) 1. c – **2.** e – **3.** d – **4.** a – **5.** b
Test 2) 1. V – **2.** F – **3.** V – **4.** F – **5.** V – **6.** V – **7.** F – **8.** F
Test 3) 1. vas – **2.** excusez – **3.** pouvez – **4.** serre – embrasse.
Test 4) Dessin n° 1 : Ils se serrent la main. – **Dessin n° 2 :** Elles s'embrassent. / Elles se font un bisou.

Page 5

Test 1) 1. c – **2.** e – **3.** f – **4.** b – **5.** a – **6.** d
Test 2) 1. prie – **2.** allez – **3.** va – **4.** vais – **5.** remercie
Test 3) Dessin n° 1 : Asseyez-vous, je vous en prie ! – **Dessin n° 2 :** Après vous ! – **Dessin n° 3 :** Je peux prendre votre stylo ? — Je vous en prie ! – **Dessin n° 4 :** Merci / Je vous remercie ! — Je vous en prie !
Test 4) 1. Après vous ! / Je vous en prie ! – **2.** Asseyez-vous, je vous en prie ! / Assieds-toi, je t'en prie ! – **3.** Comment vont vos enfants ? – **4.** Ça va ? – **5.** Je vous en prie !

Page 6

Test 1) 1. félicitations – **2.** Bonne – **3.** courage – **4.** cœur – **5.** vœux – **6.** fêtes
Test 2) 1. c – **2.** e – **3.** d – **4.** g – **5.** f – **6.** a – **7.** h – **8.** b
Test 3) 1. Bon anniversaire ! – **2.** Bonne année ! Tous mes vœux ! – **3.** À tes souhaits ! – **4.** Félicitations ! / Toutes mes félicitations ! – **5.** Tous mes vœux de bonheur ! – **6.** Joyeux Noël ! / Bonnes fêtes de fin d'année !

Chapitre 2 Les nationalités – les langues

Page 7

Test 1) 1. la – **2.** le – **3.** le – **4.** le – **5.** l' – **6.** les – **7.** pas d'article – **8.** les – **9.** l' – **10.** le
Test 2) 1. au – **2.** en – **3.** en – **4.** aux – **5.** au – **6.** en – **7.** en – **8.** au – **9.** en – **10.** au
Test 3) 1. La Pologne – **2.** Les États-Unis – **3.** La Turquie – **4.** Les Pays-Bas – **5.** La Grande-Bretagne – **6.** La Côte d'Ivoire – **7.** La Grèce – **8.** L'Allemagne – **9.** La Belgique – **10.** La Hongrie

Page 8

Test 1) 1. F – **2.** V – **3.** V – **4.** F – **5.** F – **6.** V
Test 2) a. : 1, 3, 7 – **b. :** 2, 6, 8 – **c. :** 4, 5
Test 3) 1. parlent – **2.** moitié, moitié – **3.** bilingue – **4.** langue – **5.** à, au – **6.** dans

Page 9

Test 1) 1. réfugiés – **2.** étrangère – **3.** originaire – **4.** naturalisés – **5.** nationalité
Test 2) 1. c – **2.** d – **3.** f – **4.** e – **5.** g – **6.** b – **7.** a
Test 3) 1. proche-oriental – **2.** provinciale – **3.** nord-africain / maghrébin – **4.** métisse – **5.** réfugiés politiques – **6.** américains / new-yorkais – **7.** scandinaves – **8.** exilé

Chapitre 3 La famille – les âges de la vie

Page 10

Test 1) 1. la femme – **2.** la sœur – **3.** la grand-mère – **4.** la belle-fille – **5.** la belle-sœur – **6.** la fille – **7.** la nièce – **8.** la cousine
Test 2) 1. nièce – oncle – **2.** petit-fils – grand-père – **3.** belle-sœur – beau-frère – **4.** belle-mère – belle-fille – **5.** gendre – beau-père – **6.** tante – neveu

Page 11

Test1) 1. V – **2.** F – **3.** V – **4.** V – **5.** F – **6.** F – **7.** V – **8.** V
Test 2) 1. adoptifs – **2.** enfant/fils unique – **3.** jumeaux – **4.** aîné – **5.** mineur, majeur – **6.** nombreuse
Test 3) 1. e – **2.** d – **3.** a – **4.** f – **5.** b – **6.** c

Chapitre 4 Les relations – les sentiments

Page 12

Test 1) 1. b – **2.** b – **3.** a – **4.** a – **5.** b – **6.** b
Test 2) 1. d – **2.** e – **3.** f – **4.** b – **5.** a – **6.** g – **7.** c
Test 3) 1. vit – **2.** fait – **3.** tombe – **4.** vivre – **5.** demande – **6.** envoie – **7.** se marient

Page 13

Test 1) 1. F – **2.** V – **3.** V – **4.** V – **5.** V – **6.** F
Test 2) 1. se détestent – **2.** divorcer – **3.** se disputent tout le temps – **4.** ex-femme – **5.** se réconcilient
Test 3) 1. c – **2.** d – **3.** a – **4.** e – **5.** b
Test 4) 1. le divorce – **2.** l'amour – **3.** l'entente – **4.** le mariage – **5.** la rencontre – **6.** la séparation – **7.** la réconciliation – **8.** la dispute

Page 14

Test 1) 1. chagrin – **2.** rire – **3.** les larmes – **4.** rire – **5.** rire
Test 2) 1. une veuve – **2.** un(e) orphelin(e) – **3.** le cimetière – **4.** les gerbes / les couronnes – **5.** un veuf
Test 3) 1. c – **2.** d – **3.** a – **4.** e – **5.** b
Test 4) 1. orphelin – **2.** l'enterrement – **3.** tombes, cimetière – **4.** veuve

Chapitre 5 Le temps qui passe

Page 15

Test 1) 1. sommes – **2.** a – **3.** tombe – **4.** sommes
Test 2) 1. V – **2.** V – **3.** F – **4.** V – **5.** F
Test 3) 1. sommes – **2.** dernier – **3.** lendemain – **4.** tombe – **5.** quinze
Test 4) 1. Quelle est la date, aujourd'hui ? – **2.** Quel jour sommes-nous ? / On est quel jour, aujourd'hui ? – **3.** Nous sommes le combien ? – **4.** Le 15 août tombe quel jour ? – **5.** C'est quand, ton anniversaire ? – **6.** Quand a lieu Le Mois de la photo ?

Page 16

Test 1) 1. passé – **2.** font – **3.** C'est – **4.** fait – **5.** lendemain
Test 2) 1. coucher de soleil – **2.** La nuit tombe. – **3.** se couche – **4.** nuit – **5.** nuit noire
Test 3) 1. jour – **2.** soirée / journée – **3.** soir – **4.** jour – **5.** jours – **6.** jour – **7.** soirée – **8.** jour – **9.** journée – **10.** journée

Page 17

Test 1) 1. midi et demie – **2.** cinq heures et quart – **3.** sept heures moins le quart – **4.** dix heures moins vingt – **5.** trois heures moins vingt-cinq – **6.** minuit
Test 2) 1. heure – **2.** dire – **3.** l'heure – **4.** moins cinq – **5.** pile – **6.** du soir – **7.** trois – **8.** midi
Test 3) 1. c – **2.** d – **3.** e – **4.** f – **5.** a – **6.** b

Page 18

Test 1) 1. d – **2.** f – **3.** e – **4.** a – **5.** b – **6.** c
Test 2) 1. Non, il est pressé. – **2.** Non, j'en ai gagné, au contraire ! – **3.** Non, il prend son temps. – **4.** Non, je suis parti tard. – **5.** Non, elle est arrivée en avance. – **6.** Non, elle retarde.
Test 3) 1. gagner – **2.** faut – **3.** mis – **4.** est arrivée – **5.** passé – **6.** suis – **7.** as, es

Chapitre 6 Le temps qu'il fait

Page 19

Test 1) 1. mauvais – **2.** fait – **3.** gris – **4.** Le temps – **5.** chaleur
Test 2) 1. c – **2.** a – **3.** f – **4.** e – **5.** b – **6.** d
Test 3) 1. bon, lourd, humide – **2.** s'améliore, se dégrade – **3.** splendide, affreux, magnifique – **4.** – 3 °C, une belle journée, gris, 25 °C à l'ombre.
Test 4) 1. mauvais – **2.** gris – **3.** se dégrade – **4.** fait un temps épouvantable – **5.** est changeant, incertain.

Page 20

Test 1) 1. V – **2.** F – **3.** V – **4.** F – **5.** V
Test 2) 1. c – **2.** d – **3.** e – **4.** a – **5.** b
Test 3) 1. inondation – **2.** éclair – **3.** brume – **4.** congère – **5.** éclaircie
Test 4) 1. éclate – **2.** tombe – **3.** souffle – **4.** déborde – **5.** neige

Chapitre 7 Le milieu naturel

Page 21

Test 1) 1. F – **2.** V – **3.** V – **4.** F – **5.** V – **6.** V
Test 2) 1. terre – **2.** la lune – **3.** se couche – **4.** par terre – **5.** la mer
Test 3) 1. continent – **2.** ciel – **3.** l'Amérique – **4.** globe terrestre – **5.** briller
Test 4) 1. se couche – **2.** tourne – **3.** se lève – **4.** brillent

Page 22

Test 1) 1. mer – **2.** agitée – **3.** galets – **4.** le courant – **5.** source – **6.** salée
Test 2) 1. le port – **2.** la marée – **3.** un ruisseau – **4.** l'eau de mer – **5.** les vagues – **6.** une vallée
Test 3) 1. calme – **2.** basse – **3.** aval – **4.** remonte – **5.** pleine mer – **6.** montante – **7.** quitte – **8.** douce

Page 23

Test 1) 1. plaine – **2.** plaine – **3.** avalanche – **4.** campagne – **5.** nature
Test 2) 1. hameau – **2.** d'avalanche – **3.** Le sommet – **4.** champs – **5.** ferme
Test 3) 1. c – **2.** a – **3.** d – **4.** e – **5.** b
Test 4) 1. un hameau – **2.** un torrent – **3.** le sommet – **4.** une colline – **5.** un sentier

Chapitre 8 Les végétaux

Page 24

Test 1) 1. pot – **2.** champignon – **3.** bouquet – **4.** pelouse – **5.** jardinier
Test 2) 1. d – **2.** c – **3.** a – **4.** e – **5.** b
Test 3) 1. muguet – **2.** pelouse – **3.** bouquet – **4.** champignons – **5.** racines
Test 4) 1. arroser – **2.** sentent – **3.** fleurissent – **4.** fane – **5.** planter

Page 25

Test 1)1. fruits : fraise, poire, cerise, pomme, noisette – **légumes :** poireau, pomme de terre, carotte, aubergine, poivron
Test 2) Horizontalement : NOYER – OLIVIER – NOISETIER – ORANGER – PRUNIER – **Verticalement :** BANANIER – POMMIER – POIRIER – PÊCHER – CERISIER
Test 3) 1. pousse – **2.** cueille – **3.** entretient – **4.** arrache – **5.** fait

Chapitre 9 Un animal – des animaux

Page 26

Test 1) Horizontalement : COCHON – CHEVAL – BŒUF – VEAU – LAPIN – **Verticalement :** COQ – CHÈVRE – CANARD – POULE – MOUTON
Test 2) 1. aboie – **2.** ronronne – **3.** en laisse – **4.** mord – **5.** promène
Test 3) 1. c – **2.** d – **3.** e – **4.** a – **5.** b

Page 27

Test 1) 1. La moule – **2.** le lièvre – **3.** piquer – **4.** Le papillon – **5.** pêche
Test 2) 1. F – **2.** V – **3.** V – **4.** F – **5.** F
Test 3) 1. une araignée – **2.** une abeille – **3.** un papillon – **4.** un moustique – **5.** une mouche
Test 4) 1. pêcheur – **2.** chasse – **3.** poisson – **4.** miel – **5.** cuisses

Page 28

Test 1) Horizontalement : 1. CROCODILE – **2.** GIRAFE – **3.** OURS – **4.** LION – **5.** ÉLÉPHANT – **Verticalement : a.** SERPENT – **b.** CHAMEAU – **c.** SINGE – **d.** ZÈBRE – **e.** TIGRE
Test 2) 1. d – **2.** e – **3.** a – **4.** b – **5.** c
Test 3) 1. V – **2.** V – **3.** F – **4.** F – **5.** V

Chapitre 10 Le corps humain

Page 29

Test 1) 1. le genou – **2.** la jambe – **3.** la cheville – **4.** le pied – **5.** la cuisse – **6.** le doigt – **7.** l'ongle – **8.** la main – **9.** le poignet – **10.** le coude– **11.** la lèvre – **12.** le sourcil – **13.** l'œil – **14.** le nez – **15.** le menton
Test 2) 1. F – **2.** F – **3.** V – **4.** V – **5.** V

Page 30

Test 1) 1. battements – **2.** pensée – **3.** digestion – **4.** sang – **5.** respiration
Test 2) 1. c – **2.** e – **3.** d – **4.** a – **5.** b
Test 3) 1. foie – **2.** nerfs – **3.** cœur – **4.** reins – **5.** transpire
Test 4) 1. muscles – **2.** sang – **3.** nez, bouche – **4.** reins

Page 31

Test 1) 1. a – **2.** b – **3.** b – **4.** a – **5.** b – **6.** a
Test 2) 1. bon – **2.** goût – **3.** l'ouïe – **4.** sourd – **5.** odorat – **6.** voit
Test 3) 1. dos – **2.** nez, figure – **3.** cœur – **4.** tête, épaules – **5.** yeux – **6.** œil – **7.** sang-froid – **8.** peau

Page 32

Test 1) 1. vont – **2.** se sent – **3.** est – **4.** ont – **5.** a – **6.** peut
Test 2) 1. d – **2.** c – **3.** a – **4.** e – **5.** b
Test 3) 1. va – **2.** sens – **3.** manque – **4.** a – **5.** a
Test 4) 1. a – **2.** a – **3.** b – **4.** b

Chapitre 11 Le physique – l'apparence

Page 33

Test 1) 1. V – **2.** F – **3.** V – **4.** F – **5.** V – **6.** V
Test 2) 1. c – **2.** d – **3.** e – **4.** b – **5.** a
Test 3) 1. b – **2.** b – **3.** a – **4.** b – **5.** b
Test 4) 1. Il se pèse sur une balance. – **2.** Elle fait un régime amaigrissant, elle a pris du poids.

Page 34

Test 1) 1. d – **2.** c – **3.** e – **4.** a – **5.** b
Test 2) 1. lisse – **2.** teint – **3.** ridé – **4.** type – **5.** beau
Test 3) 1. laid, beau, séduisant – **2.** ravissante, moche – **3.** lisse, ridée – **4.** carré, rond, ridé – **5.** pâle, mat, basané
Test 4) 1. moche, laid – **2.** ridée – **3.** âgé – **4.** pâle – **5.** rond, carré

Pager 35

Test 1) 1. V – **2.** F – **3.** F – **4.** F – **5.** V
Test 2) 1. marron – **2.** barbu – **3.** chauve – **4.** grain de beauté – **5.** vert
Test 3) 1. courts, longs, blancs – **2.** chauve, beau, brun – **3.** des lunettes, une barbe, une moustache – **4.** soignée, coquette, négligée – **5.** noirs, frisés, raides
Test 4) 1. rousseur – **2.** cheval – **3.** beauté – **4.** lunettes – **5.** barrette

Chapitre 12 Les vêtements – la mode

Page 36

Test 1) Horizontalement : PANTALON – VESTE – CHEMISE – JUPE – MAILLOT – **Verticalement :** PYJAMA – MANTEAU – SHORT – ROBE – ANORAK
Test 2) 1. chemisier – **2.** robe – **3.** anorak – **4.** robe – **5.** salopette
Test 3) 1. pull – **2.** maillot de bain – **3.** tailleur – **4.** imperméable – **5.** jupe

Page 37

Test 1) 1. a – **2.** a – **3.** b – **4.** a – **5.** b
Test 2) 1. V – **2.** F – **3.** V – **4.** V – **5.** F
Test 3) 1. collant – **2.** nylon – **3.** semelle – **4.** bottes – **5.** à talon
Test 4) 1. le lin, le cuir, la soie – **2.** noirs, imprimés, à rayures – **3.** des chaussures, des chaussettes, des socquettes – **4.** des sandales, des escarpins, des baskets – **5.** un caleçon, des chaussettes.

Page 38

Test 1) Horizontalement : 1. NŒUD – **2.** BAGUE – **3.** CEINTURE – **4.** CHAPEAU – **5.** BRACELET – **Verticalement :** **a.** ÉCHARPE – **b.** PARAPLUIE – **c.** CRAVATE – **d.** GANT – **e.** BROCHE – **f.** MONTRE – **g.** LUNETTES
Test 2) 1. mettre – **2.** te changes – **3.** t'habilles – **4.** rester – **5.** enfilé – **6.** est – **7.** enlève – **8.** se met

Page 39

Test 1) 1. fait – **2.** se lave – **3.** essayer – **4.** faites – **5.** amincit
Test 2) f – d – c – a – e – g – b
Test 3) 1. c – **2.** e – **3.** f – **4.** h – **5.** g – **6.** a – **7.** d – **8.** b

Chapitre 13 La maison – le logement

Page 40

Test 1) 1. répare – **2.** grenier – **3.** clé – **4.** faire – **5.** escalier
Test 2) 1. V – **2.** F – **3.** V – **4.** F – **5.** V
Test 3) 1. c – **2.** d – **3.** e – **4.** a – **5.** b
Test 4) 1. la boîte aux lettres – **2.** la clé – **3.** le portemanteau – **4.** l'ascenseur – **5.** la cheminée

Page 41

Test 1) Horizontalement : 1. LAMPE – **2.** TABLE – **3.** MATELAS – **4.** CUISINIÈRE – **5.** TIROIR – **6.** COUVERTURE – **Verticalement : a.** FOUR – **b.** RADIATEUR – **c.** CANAPÉ – **d.** ARMOIRE
Test 2) 1. robinets – **2.** penderie – **3.** rideaux – **4.** mobilier – **5.** bibliothèque
Test 3) 1. la cuisine – **2.** la chambre – **3.** le salon – **4.** la cave – **5.** la cuisine

Page 42

Test 1) 1. une baignoire – **2.** tapis – **3.** rideaux – **4.** vase – **5.** drap de bain
Test 2) 1. V – **2.** V – **3.** F – **4.** F – **5.** F
Test 3) 1. une douche – **2.** un miroir – **3.** une baignoire – **4.** une serviette de bain – **5.** un porte-serviettes – **6.** un tableau – **7.** une étagère – **8.** un vase – **9.** un bibelot – **10.** des rideaux

Page 43

Test 1) b – c – e – a – d
Test 2) 1. loyer – **2.** propriétaire – **3.** déménageurs – **4.** studio – **5.** agence immobilière
Test 3) 1. en mauvais état – **2.** emménage – **3.** petit, minuscule – **4.** bruyant – **5.** sombre – **6.** locataire
Test 4) 1. d – **2.** c – **3.** b – **4.** a

Chapitre 14 Les activités quotidiennes

Page 44

Test 1) 1. mettent – **2.** sert – **3.** sont – **4.** essuyons – **5.** débarrasse
Test 2) 1. F – **2.** V – **3.** F – **4.** F – **5.** V
Test 3) 1. lave-vaisselle – **2.** s'habiller – **3.** être à table – **4.** se préparer – **5.** passer à table
Test 4) 1. s'endort – **2.** se déshabille – **3.** rentre à la maison – **4.** se couche – **5.** débarrasse la table.

Page 45

Test 1) Horizontalement : 1. PEIGNE – **2.** RASOIR – **3.** CRÈME – **4.** SAVON – **Verticalement :** a. SHAMPOOING – **B.** DENTIFRICE – **C.** VERNIS – **D.** BROSSE – **E.** PARFUM – **F.** COTON
Test 2) 1. brosse à dents – **2.** shampooing – **3.** sèche-cheveux – **4.** peigne – **5.** rasoir, mousse
Test 3) 1. rasoir – **2.** brosse – **3.** peigne – **4.** parfum – **5.** maquillage

Page 46

Test 1) 1. chiffon – **2.** passons – **3.** étend – **4.** la lessive – **5.** la main
Test 2) e – c – f – a – b – d
Test 3) 1. Il passe l'aspirateur. – **2.** Elle repasse. – **3.** Elle étend le ligne. – **4.** Il enlève la poussière.
Test 4) 1. passe – **2.** fait – **3.** fait – **4.** passent – **5.** lave

Chapitre 15 L'école

Page 47

Test 1) 1. professeur – **2.** enseignant – **3.** école – **4.** collège – **5.** tertiaire
Test 2) 1. c – **2.** d – **3.** a – **4.** e – **5.** b
Test 3) 1. b – **2.** a – **3.** a – **4.** b – **5.** b
Test 4) 1. école maternelle – **2.** université – **3.** école primaire – **4.** lycée – **5.** collège

Page 48

Test 1) Horizontalement : CARTABLE – LIVRE – TROUSSE – RÈGLE – CAHIER – GOMME – **Verticalement :** FEUTRE – STYLO – CRAYON – CLASSEUR
Test 2) 1. F – **2.** V – **3.** V – **4.** F – **5.** V
Test 3) 1. crayon – **2.** cartable – **3.** trousse – **4.** cantine – **5.** cour

Page 49

Test 1) 1. apprend – **2.** a – **3.** apprend – **4.** a – **5.** étudie
Test 2) 1. apprend à – **2.** apprend – **3.** apprend – **4.** apprend à
Test 3) 1. économie – **2.** droit – **3.** médecine – **4.** élève – **5.** lycéen
Test 4) a. 2, 3, 5, 6 – **b.** 1, 3, 4, 5 – **c.** 1, 4

Page 50

Test 1) 1. c – **2.** e – **3.** d – **4.** a – **5.** b
Test 2) 1. donne – **2.** a – **3.** prend – **4.** enseigne – **5.** étudie
Test 3) 1. fait, prend, suit, prépare – **2.** apprend, révise, revoit – **3.** met, donne, a – **4.** interroge – **5.** a, fait, donne
Test 4) 1. mauvaise – **2.** paresseuse – **3.** indiscipliné – **4.** décontracté, peu exigeant – **5.** distrait

Chapitre 16 Les professions – les métiers

Page 51

Test 1) 1. traductrice – **2.** technicienne – **3.** avocate – **4.** caissière – **5.** serveuse – **6.** employée – **7.** femme médecin – **8.** secrétaire
Test 2) 1. un chirurgien – **2.** un plombier – **3.** une serveuse – **4.** une femme chauffeur de taxi
Test 3) 1. d – **2.** f – **3.** g – **4.** b – **5.** h – **6.** a – **7.** c – **8.** e

Page 52

Test 1) 1. V – **2.** V – **3.** F – **4.** F – **5.** V – **6.** V – **7.** F – **8.** V
Test 2) 1. magasin, boutique – **2.** hôpital – **3.** usine – **4.** cabinet – **5.** bureau – **6.** étude
Test 3) 1. a – **2.** b – **3.** a – **4.** b – **5.** b – **6.** a

Page 53

Test 1) 1. travaillez – **2.** C'est – **3.** faites – **4.** travaille – **5.** s'occupe
Test 2) 1. c – **2.** e – **3.** d – **4.** a – **5.** b
Test 3) 1. le – **2.** le – **3.** (rien) – **4.** un – **5.** (rien)
Test 4) 1. est – **2.** travaille – **3.** est – **4.** est / travaille – **5.** s'occupe

Chapitre 17 La technologie

Page 54

Test 1) 1. l'ordinateur – **2.** le moniteur – **3.** l'imprimante – **4.** l'écran – **5.** le curseur – **6.** le clavier – **7.** la souris
Test 2) 1. éteint – **2.** ouvre – **3.** débranche – **4.** efface
Test 3) 1. logiciel – **2.** consulte – **3.** introduis – **4.** est informaticien
Test 4) 1. brancher, allumer, éteindre – **2.** saisit, enregistre, imprime – **3.** efface, saisit, stocke – **4.** consulte, interroge – **5.** copie, sauvegarde, imprime

Page 55

Test 1) 1. c – **2.** d – **3.** a – **4.** e – **5.** f – **6.** b
Test 2) 1. passé, reçu – **2.** un fax, une télécopie – **3.** décroche, raccroche – **4.** l'annuaire, le bottin, le Minitel – **5.** un combiné, un clavier
Test 3) 1. Ça sonne. – **2.** Il décroche. – **3.** Il raccroche. – **4.** Il compose le numéro.
Test 4) 1. message, répondeur – **2.** l'annuaire – **3.** facture – **4.** coup

Page 56

Test 1) 1. c – **2.** d – **3.** e – **4.** b – **5.** a
Test 2) 1. V – **2.** F – **3.** V – **4.** F – **5.** F
Test 3) 1. un tourne-disque – **2.** les informations – **3.** un camescope – **4.** un magnétophone – **5.** enceintes
Test 4) 1. une télécommande – **2.** une console de jeux – **3.** le bouton – **4.** un transistor – **5.** enceintes / haut-parleurs

Chapitre 18 La communication

Page 57

Test 1) 1. c – **2.** d – **3.** e – **4.** a – **5.** b
Test 2) 1. Je vais voir ! – **2.** Ce n'est pas la peine ! – **3.** Je n'ai rien de prévu. – **4.** Malheureusement, non ! – **5.** Oui, c'est vraiment gentil !
Test 3) 1. dit – **2.** prévu – **3.** fait – **4.** gentil – **5.** pris
Test 4) 1. Tu veux boire quelque chose ? / Vous voulez un café-crème ? – **2.** Tu veux que je t'aide à porter ces cartons ? – **3.** Tu veux de l'eau ? / Vous voulez du vin ? – **4.** Tu es libre, samedi soir ? / Vous êtes libres ? – **5.** Si on allait dîner au restaurant, ce soir ?

Page 58

Test 1) e – a – d – c – b
Test 2) 1. Il / Elle n'est pas là. Il / Elle est sorti(e). Il / Elle s'est absenté(é). – **2.** Est-ce que je pourrais parler à Anne, s'il vous plaît ? – **3.** Vous vous êtes trompé(e). **4.** Il est en ligne. / Son poste est occupé. – **5.** C'est de la part de qui ?
Test 3) Dialogue 1 : 1. pourrais – **2.** quittez, passe – **3.** répond, laisser – **4.** rappellerai – **Dialogue 2 : 5.** bien – **6.** trompé – **Dialogue 3 : 7.** coordonnées – **8.** rappeler / joindre

Page 59

Test 1) 1. pose **2.** donne – **3.** dit – **4.** eu – **5.** bavardé
Test 2) 1. d – **2.** f – **3.** h – **4.** j – **5.** i – **6.** c – **7.** a – **8.** e – **9.** g – **10.** b
Test 3) 1. pose – **2.** répond – **3.** comprend – **4.** explique – **5.** tait

Page 60

Test 1) 1. g – **2.** e – **3.** a – **4.** f – **5.** d – **6.** b – **7.** c
Test 2) 1. V – **2.** F – **3.** F – **4.** V – **5.** F – **6.** V
Test 3) 1. pensez, croyez – **2.** suis – **3.** avoir, connaître – **4.** prend, demande, a – **5.** développe, expose – **6.** crois, pense – **7.** ont

Chapitre 19 Le caractère et la personnalité

Page 61

Test 1) 1. est – **2.** C'est – **3.** a – **4.** a – **5.** a – **6.** ont
Test 2) 1. c – **2.** e – **3.** d – **4.** f – **5.** a – **6.** b
Test 3) 1. la patience – **2.** la timidité – **3.** la bêtise – **4.** la culture – **5.** la maladresse – **6.** la paresse – **7.** le calme – **8.** la distraction

Page 62

Test 1) 1. F – **2.** F – **3.** V – **4.** V – **5.** V – **6.** F
Test 2) 1. optimiste – **2.** bavarde – **3.** généreux – **4.** calme – **5.** bête – **6.** chaleureuse – **7.** travailleur – **8.** superficiel
Test 3) 1. hypocrite – **2.** chaleureux – **3.** calme – **4.** ennuyeux – **5.** bavard – **6.** généreux

Chapitre 20 L'argent – la banque

Page 63

Test 1) 1. 100 – **2.** fais – **3.** rend – **4.** pièces – **5.** a – **6.** espèces
Test 2) 1. porte-monnaie – **2.** la monnaie, billet – **3.** monnaie – **4.** portefeuille – **5.** l'argent – **6.** l'appoint – **7.** le franc
Test 3) 1. argent – **2.** espèces – **3.** pièces – **4.** centimes – **5.** billet – **6.** monnaie

Page 64

Test 1) 1. cent quatre-vingt-dix-sept euros quatorze centimes. – **2.** soixante et onze euros cinquante-trois centimes.
Test 2) c – e – b – g – a – h – f – d
Test 3) 1. fait – **2.** retirer – **3.** remplit – **4.** signer – **5.** libelle – **6.** composer

Page 65

Test 1) 1. b – **2.** e – **3.** d – **4.** a – **5.** c
Test 2) 1. fait – **2.** de – **3.** courant – **4.** le relevé – **5.** à
Test 3) 1. b – **2.** a – **3.** b – **4.** b – **5.** a
Test 4) 1. dépenser – **2.** débiteur – **3.** dettes – **4.** relevé – **5.** rembourser

Page 66

Test 1) 1. verser – **2.** dépensier – **3.** impôts – **4.** emprunter – **5.** courant – **6.** dépenser
Test 2) 1. V – **2.** F – **3.** V – **4.** V – **5.** F
Test 3) 1. économisons – **2.** ai – **3.** partage – **4.** prêté – **5.** alimente
Test 4) 1. fauchés – **2.** radin – **3.** roule sur l'or – **4.** jette l'argent par les fenêtres.

Chapitre 21 Commerces – commerçants

Page 67

Test 1) 1. à la boucherie – **2.** à la boulangerie – **3.** dans une épicerie ou un supermarché – **4.** chez un marchand de fruits et légumes, dans une épicerie ou un supermarché – **5.** dans une charcuterie – **6.** dans une fromagerie – **7.** dans une épicerie, un supermarché ou chez un marchand de vin – **8.** chez un poissonnier
Test 2) 1. V – **2.** V – **3.** F – **4.** F – **5.** V – **6.** F – **7.** V
Test 3) 1. un gigot, du jambon, un rôti – **2.** une truite, du saumon – **3.** du pain de campagne, un croissant, une baguette, une brioche – **4.** un saucisson, du jambon – **5.** du lait, de l'huile, de l'eau minérale

Page 68

Test 1) 1. g – **2.** c – **3.** f – **4.** e – **5.** a – **6.** b – **7.** d
Test 2) 1. coiffeur – **2.** pressing – **3.** marchand de journaux – **4.** bijouterie – **5.** fleuriste
Test 3) Horizontalement : BIJOUTERIE – COIFFEUR – PAPETERIE – TEINTURERIE – **Verticalement :** LIBRAIRIE – FLEURISTE – PARFUMERIE – PHARMACIE

Page 69

Test 1) 1. Une botte – **2.** Un pot – **3.** Une barquette – **4.** Un tube – **5.** Un flacon – **6.** Une tranche – **7.** Une plaque
Test 2) 1. rayon – **2.** vendeur – **3.** grand magasin – **4.** étiquette – **5.** caisse – **6.** vitrines – **7.** paquet-cadeau – **8.** livraison
Test 3) 1. un chariot – **2.** une étiquette – **3.** un flacon – **4.** un pot de confiture – **5.** un paquet de sucre

Page 70

Test 1) 1. d – **2.** f – **3.** e – **4.** c – **5.** b – **6.** a
Test 2) 1. avez – **2.** dois – **3.** coûte – **4.** faudrait – **5.** pouvez – **6.** voudrais
Test 3) 1. une demi-livre – **2.** une dizaine – **3.** une livre – **4.** un litre – **5.** un kilo – **6.** un demi-litre – **7.** une douzaine – **8.** un quart de litre

Chapitre 23 Cuisine – restaurant – café

Page 71

Test 1) Horizontalement : 1. BALANCE – **2.** FOUET – **3.** CASSEROLE – **4.** MOULE – **5.** SOUPIÈRE –
Verticalement : a. PLATEAU – **b.** PLAT – **c.** PASSOIRE – **d.** SALADIER – **e.** POÊLE
Test 2) 1. une cocotte-minute – **2.** un couvercle – **3.** une planche à découper – **4.** un moule à tarte – **5.** un fouet
Test 3) 1. gourmande – **2.** recette, cuisine – **3.** cuisinier, cuisine

Page 72

Test 1) 1. F – **2.** V – **3.** F – **4.** V – **5.** F
Test 2) 1. croissant – **2.** assiette – **3.** confiture – **4.** couverts – **5.** cendrier – **6.** assiette – **7.** serviette
Test 3) 1. assiette – **2.** tire-bouchon – **3.** carafe – **4.** couverts – **5.** nappe – **6.** dessous-de-plat – **7.** salière – **8.** bouchon

Page 73

Test 1) 1. F – **2.** V – **3.** F – **4.** V – **5.** V – **6.** F – **7.** F
Test 2) 1. gastronome – **2.** sortie – **3.** café – **4.** amuse-gueule – **5.** carte
Test 3) 1. serveur / maître d'hôtel – **2.** amuse-gueule – **3.** service – **4.** clients – **5.** l'addition – **6.** infusion – **7.** potable – **8.** crêperie

Page 74

Test 1) a. : 2, 4, 6 – **b.** : 1, 3, 5, 7, 8
Test 2) 1. salé – **2.** lourd – **3.** appétissant – **4.** fort – **5.** copieux – **6.** fade
Test 3) 1. Le déca – **2.** Le demi – **3.** Les carottes – **4.** au fromage – **5.** Le thé
Test 4) 1. c – **2.** e – **3.** b – **4.** a – **5.** d

Chapitre 23 Loisirs – jeux – sports

Page 75

Test 1) 1. d – **2.** e – **3.** a – **4.** c – **5.** b
Test 2) 1. faire – **2.** vont – **3.** emmène – **4.** sortir – **5.** jouent – **6.** font – **7.** fait – **8.** fait – **9.** font – **10.** jouent
Test 3) 1. Ils jouent aux échecs. – **2.** Ils jouent aux dés. – **3.** Elle joue à la poupée. – **4.** Elle fait de la couture. – **5.** Ils se promènent.

Page 76

Test 1) 1. le match – **2.** une compétition – **3.** courts – **4.** détient – **5.** ont disputé – **6.** battu
Test 2) 1. Vous êtes sportif ? – **2.** Vous êtes professionnel ? – **3.** Vous faites du sport ? – **4.** Vous faites partie d'un club ? – **5.** Vous vous entraînez régulièrement / souvent ?
Test 3) 1. match – **2.** amateur – **3.** coupe – **4.** compétition – **5.** squash
Test 4) 1. le filet – **2.** la balle – **3.** la raquette – **4.** le court

Page 77

Test 1) 1. c – **2.** d – **3.** e – **4.** a – **5.** b
Test 2) 1. gradins – **2.** concours – **3.** buts – **4.** coureur – **5.** cavalier
Test 3) 1. respecter – **2.** monte – **3.** pilote – **4.** marque – **5.** a gagné – **6.** pédale
Test 4) 1. Il fait du saut en hauteur. – **2.** Elle monte à cheval. – **3.** Il marque un but. – **4.** Il pilote une voiture de course.

Page 78

Test 1) 1. un nageur – **2.** un randonneur – **3.** un alpiniste – **4.** un patineur – **5.** un skieur
Test 2) 1. patin – **2.** boxeur – **3.** escalade – **4.** nageur – **5.** judo
Test 3) 1. pistes – **2.** patinoire / glace – **3.** ring – **4.** piscine – **5.** montagne
Test 4) a. : 1, 3, 5 – **b.** : 2, 4

Chapitre 24 Transports – circulation

Page 79

Test 1) 1. gare – **2.** voyageurs – **3.** quai – **4.** aller-retour – **5.** horaires – **6.** billet, amende – **7.** contrôleur – **8.** seconde – **9.** place
Test 2) b – a – e – f – d – c
Test 3) 1. Il a raté son train. – **2.** Il composte son billet. – **3.** Il emprunte le passage souterrain. – **4.** Il attend sur le quai.

Page 80

Test 1) 1. à – **2.** un équipage – **3.** billet – **4.** le bateau – **5.** avion
Test 2) 1. aéroport – **2.** ticket – **3.** quai – **4.** embarquement – **5.** ligne
Test 3) 1. l'aéroport – **2.** le métro – **3.** l'arrêt de bus – **4.** la piste de décollage – **5.** le quai / le port – **6.** l'équipage – **7.** les heures de pointe – **8.** un carnet de métro – **9.** le quai – **10.** une traversée

Page 81

Test 1) 1. le volant – **2.** le phare – **3.** le moteur – **4.** la portière – **5.** le coffre – **6.** le siège – **7.** la roue – **8.** la ceinture de sécurité
Test 2) 1. il avance – **2.** il coupe le moteur / il coupe le contact – **3.** elle ralentit / elle freine – **4.** elle est en panne – **5.** elle la rentre au garage
Test 3) 1. pédale – **2.** station-service – **3.** permis (de conduire) – **4.** phares – **5.** révision – **6.** casque – **7.** ceinture
Test 4) 1. un camion – **2.** un vélo – **3.** une moto – **4.** un scooter

Page 82

Test 1) 1. V – **2.** V – **3.** V – **4.** F – **5.** F – **6.** V – **7.** F – **8.** V
Test 2) 1. prenez – **2.** traversez – **3.** continuez – **4.** garez – **5.** conduisez – **6.** respectez – **7.** tournez
Test 3) 1. le passage piétons – **2.** le feu – **3.** des virages – **4.** le trottoir – **5.** un embouteillage / un bouchon

Chapitre 25 Le tourisme – les vacances

Page 83

Test 1) 1. c – **2.** d – **3.** e – **4.** a – **5.** b
Test 2) 1. vais, suis – **2.** des photos, une chambre – **3.** en auto-stop, à pied – **4.** sa valise, du camping – **5.** une carte, un plan
Test 3) 1. fait – **2.** passent – **3.** change – **4.** réserver – **5.** partons – **6.** sont / vont
Test 4) 1. Il fait de l'auto-stop. – **2.** Ils font du camping.

Page 84

Test 1) 1. parasol – **2.** bouée – **3.** congés – **4.** vagues – **5.** crème solaire
Test 2) 1. congés – **2.** de soleil – **3.** bouées – **4.** secondaire – **5.** voyage
Test 3) 1. défaire – **2.** ramassent – **3.** font – **4.** noyer – **5.** sont / partent
Test 4) 1. parasol – **2.** vagues – **3.** crème solaire – **4.** coquillages – **5.** planche à voile

Page 85

Test 1) 1. e – **2.** d – **3.** a – **4.** b – **5.** c
Test 2) 1. large – **2.** randonnée – **3.** organisé – **4.** tour – **5.** détendre
Test 3) 1. se reposer – **2.** changer – **3.** renseigner – **4.** partez – **5.** fait
Test 4) 1. Il se noie dans un verre d'eau ! – **2.** On n'est pas sortis de l'auberge ! – **3.** Elle m'a envoyé promener. – **4.** Les voyages forment la jeunesse. – **5.** Ils m'ont mené en bateau.

N° d'éditeur : 10099869 - CGI - sept 2003
Imprimé en France par EMD S.A. – N° dossier : 11072